大展好書 好書大展

大展好書 好書大展

超現實心靈講座

6

神秘奇妙的世界

平川陽一／著
馬小莉／譯

大展出版社有限公司
DAH-JAAN PUBLISHING CO., LTD.

前　言

偶然出現一致的現象就是所謂的「不可思議」。為什麼雙胞胎會同時肚子痛？會同時頭痛？雖然，這種情形可以解釋為「純屬巧合」，但是在這其中，不正也包含著許多不認真調查與研究無法了解的現象嗎？

其實，在我們所生存的地球中，這類被認為「純屬巧合」的現象或事物，實在是不勝枚舉。

然而，在這麼多的現象或事物中，卻有超過一半的事實是利用現代科學仍然無法解釋清楚的。

「為什麼會有超能力？」「人死了之後會變成如何？」「外星飛諜（ＵＦＯ）是否真的存在？」「恐龍是否能在任何地方生存？」等問題，在目前仍是許多大科學家無法提出說明的疑問，而事實上，這類問題的數量更是數都數不完。

例如，科學家們即使運用了各種先進的科學方式、動員了最新銳的科學人才進行調查，但卻仍無法掌握生存於英國內斯湖湖底怪獸的實態。

認為人們完全瞭解這個地球環境的人，其實是相當淺見的人。其實這個人們還無法瞭解的地球上，不正存有著許多不可思議的現象嗎？

非洲內部，亞馬遜河流域、撒哈拉沙漠以及南極海域等地，都是人們尚未能簡單深入的區域。

然而，在這些地區深處或秘境中，則有著許多成謎的動物或不可思議的傳說故事。在尚未用「科學」來解釋這些動物或傳說故事時，這些現象就被稱為「幻影」或「神話」。

自從在馬達加斯加島發現「肺魚」後，世界生物學的研究便有了一八〇度的改變。

大物理學家牛頓曾經指出：

「以我自己的觀點來看，我的生涯只不過是一位在海邊遊玩的少年而已。在沈浸於玩弄光滑的小石或美麗的貝殼時，對於眼前這一片廣闊的大海，我則完全無法去瞭解這其中的奧妙。」

與自己所學的知識領域比較起來，牛頓在此時真確的感受到未可知的世界是如此的廣闊。

本書在創作時，主要是試著以最客觀的立場來探究世界中各種謎樣的傳說與目前所發現而又令人感到不可思議的各種現象。

當您沈浸在書中，感受其中的樂趣時，不妨也試著用一種新的角度來看待這個世界吧！

超科學研究會代表　平川陽一

目錄

第一章

恐龍還活著嗎？

出現在非洲的恐龍

非洲剛果內地有一個名叫德雷的湖泊。從以前就盛傳在德雷湖中「有一種前所未見的怪物，大約是像恐龍之類的生物」生存在其中。

於是，在不斷出現目擊者證實這個傳說後，許多國家便陸陸續續出動探險隊來追查這個傳說的眞相。

生存在德雷湖的恐龍在當地被稱爲「毛克雷．姆弁貝」。

「毛克雷．姆弁貝」在當地話中所指的乃是「彩虹」。由於這種怪物出現的頻率和「彩虹」一樣多，所以它就理所當然的被稱爲「毛克雷．姆弁貝」。

德雷湖附近在雨後總會出現濃霧。由於當地水溫很高，在雨後溫度馬上就會下降，因此，隨著熱氣上升霧氣也就越來越重了。在這種狀況下，整個區域自然形成了一種幻想似的氣氛。綜合所有目擊者的證詞來看，毛克雷．姆弁貝的頸部很長，但它的頭很小，身體卻很肥大，因此有人認爲這是一種類似雷龍而比雷龍小一號的生物。

曾有一位住在德雷湖離村的獵象者，指出他自己眞的看見過這個怪物，在他的證言中則指出：在一陣奇妙的咆哮聲後，從河川中浮起了一個很大的黑影，當它從湖中踩上岸後，岸旁的樹木都隨之倒地。它所留下的足跡如同長柄平鍋留下了一個很大的圓形坑洞，同時很明顯的看出這個足跡中似乎有三個趾頭的模樣。

怪物的身體大約有四～五公尺長，看起是像蜥蜴般的恐龍，在左右足跡中，留有著像是腹部摩擦過的跡象。

同時，當怪物從水面伸出脖子後，還吃

「毛克雷·姆弁貝」背部照片

著岸邊黃花煙草樹的樹葉。

根據附近居民指出，當象群要渡河時，帶頭的大象總要先用鼻子深入水面敲打，等到沒有任何反應出現後，整群象才會安心過河。如果在河中聽到任何聲音的話，那就是它們發現毛克雷·姆弁貝潛伏在河中，這時它們整隊象群就會折返回到岸上。

雖然在剛開始時，怪物偏好摩洛哥樹的果實，但從目擊者的證言來看，它似乎也喜歡吃黃花煙草樹的樹葉。

黃花煙草樹遍布於德雷湖畔，由於一年中時時刻刻長滿了樹葉，因此這種樹理所當然成爲怪物的主要食物。同時，由於這種樹葉隨時都可食用，因此，當然比吃摩洛哥樹的果實來得方便。

由於從來沒有聽過毛克雷·姆弁貝有傷害人或捕食小動物的情況發生，因此一般都認爲它應是一種純粹的草食性動物。

目擊猛瑪象

卡那加猛瑪象在冰河時期可以說是動物之王。這種大型動物大約出現在三七萬年前，而絕種於大約一萬年前。在歐洲、西伯利亞、北非及日本北海道都曾發現這種動物的化石，甚至於在西伯利亞這片具有冷凍保存效果的土地上也曾發現被冰封在永久凍土層底下的動物骨、皮、肉、毛，使得猛瑪象的屍體完整的被挖掘出來。而現在在西伯利亞卻到處傳說著：「猛瑪象還活著！」

曾經有一位名叫伍拉吉米魯·尼可拉耶夫·克魯基的獵師表示，他曾經親眼看見活生生的猛瑪象。他指出：一九一八年秋天，他在湖岸發現了一串大型動物遺下的腳印，這些腳印寬約60公分，長約30公分。

當他跟蹤著足跡後，發現一堆有如小山堆的糞便。由糞便狀況來看，這應該是一種草食性動物的排泄物。於是，他便繼續追蹤這些腳印，到了第三天，他卻發現了一隻長得很像怪物的動物。

這個怪物全身都被很長的長毛覆蓋著，並且長了一對彎曲度非常大的獠牙，看起來就像是以前的大型生物——卡那加猛瑪象。

這件事傳至當地法國領事館後，再經過詳細的調查，一直到一九六四年才正式由領事館發布這個消息。

在廣大的西伯利亞領域中，本來就還有許多至今都人跡罕至的地方。因此，在這個地區中，如果仍存有沖積世時，被稱爲猛瑪象的大型生物，大概不是不可能的事吧！

第一章　恐龍還活著嗎？

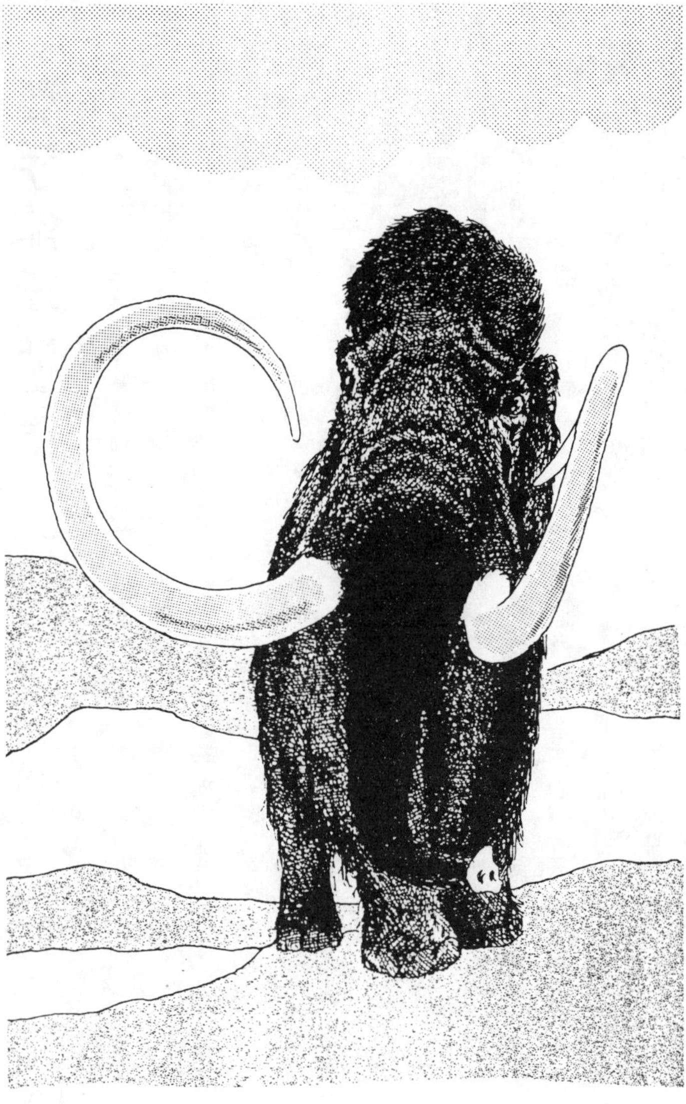

翼手龍還活著

翼手龍是在中生代時期，一種擁有雙翼控制著空中領域的爬蟲類動物。這種動物到了中生代末期，則和其他恐龍類動物一樣，難逃遭受絕種滅亡的命運。

但是，這種應該已經絕種的動物，在目前卻有報告指出，它還生存在地球上。

從事這方面研究的研究家，工藤夏未先生，曾經發表過這樣的言論：「一九二三年本人曾和『非洲見聞錄』作者福蘭克．梅蘭德，針對有關飛翔在空中的未知動物進行討論。他曾經由北羅得西亞人的口中，聽到一些一種名爲康加馬特這種怪鳥棲息的傳說。

對這種怪鳥非常感興趣的梅蘭德在這之後，便開始詳細的調查研究一切有關這種怪鳥的事物。這種怪鳥有著蝙蝠的雙翼，翼長在二公尺以上，同時雙翼呈黑灰色且只有肌肉沒有羽毛。從它大而尖長突出的嘴型可以瞭解，它和一般鳥類不同，在牙齒的構造上應該是呈現尖銳並且並列的狀態。

當他拿畫著翼手龍的古生物圖片給北羅得西亞的原住民看時，他們竟指著書中的圖片大叫『康加馬特』。」

一九四七年在亞馬遜河馬奈渥斯附近的哈里遜探險隊，也曾經看過沒有羽毛，肌肉呈褐色並且有著一對長約三．六公尺雙翼的怪鳥。

一九七五年在大鐘國立公園中，也有人親眼目擊擁有長約一五公尺雙翼的怪鳥；而在聖安東尼奧也曾出現雙翼長達六公尺，看起來像翼手龍般的空中怪物。

「一九八三年九月十四日，在羅斯．菲

烈斯的高速公路上，出現了一隻大型的怪鳥。同一天下午3點55分左右，任職於德州緊急醫療救助組織的詹姆士。湯普森則在車子的正前方，看見了一種從來沒見過的動物。他把車子停在路肩上，他發現這隻動物沒有羽毛，雙翼呈現黑灰色；它有著像塘鵝般的大嘴，嘴中並排著尖銳的牙齒……翼長大約有二公尺左右，整體看來就像是古生物中的翼手龍。怪鳥在空中飛行了一陣子後，就不知往何方飛去了。」

（工藤夏未）

從這些目擊事實看來，我們實在無法否定翼手龍眞的還生存在地球上的這種說法。

亞馬遜河的始祖鳥

有一些鳥類研究家認爲在亞馬遜河流域內部，也許還有被認爲在一億二千萬年前就已絕種的始祖鳥生存著。

始祖鳥有四隻腳的說法，只能從目前發掘出的化石中得到證明。

一八六〇年在德國一座名爲索連弗芬的石版採掘場中，發現了一種叫做阿基歐布帖立克斯的鳥類羽毛化石。這種鳥類是生存於中生代株羅紀後半（約一億三千萬年前）的一種生物。

鳥類學者雖然知道，地球在一億三千萬年以前，就已經有全身長滿羽毛的鳥類在其中生存著；但卻不很清楚這種鳥類究竟長得如何。

很幸運的，隔了一年在同一座採掘場中，發現了鳥形相當完整的化石。這個有著雙翼和尾巴的化石，目前則保存在倫敦大英博物館之中。同時從這個化石可以看出，這種鳥類有著四隻腳，而不同於其他鳥類。

然而，這種生存在一億三千萬年前的鳥類，目前卻有目擊者指出，在亞馬遜河流域內部發現了活生生的始祖鳥，並且還掌握了實際拍攝出來的照片爲證呢！

第一章　恐龍還活著嗎？

怪物被稱爲奧谷波谷。

這是出現在加拿大，不列巔·哥倫比亞州奧卡那寒湖中的一種怪物。

加拿大·奧卡那寒湖的怪物

全長二〇九公裡的奧卡那寒峽谷，左右環繞著標高一二〇〇~二一〇〇公尺的高山。怪物所棲息的奧卡那寒湖是峽谷內六個湖泊中，規模最大的一個。湖面全長約一二七公里，寬約三·二公里，湖底變化難測，而湖水雖然很深，但是水本身的透明度卻很高，這裡主要是鱒魚科和鮭魚科的生息地。

有關怪物的一切，大概要屬當地印地安人知道得最多了。

印地安人們確信，這種湖底怪物是棲息在湖中拉特魯斯內克島附近的湖底洞穴之中的，因此，在他們的習慣中，是絕對不會到那附近去打漁的。同時，只能以獨木舟或竹筏爲交通工具，也是他們所不願從事的。因爲這種怪物一旦察覺有人靠近的話，便馬上會用尾巴翻弄湖水，甚至於在引發一陣大風後，還會現身而將當地人所使用的舟或筏一起捲入海中。

根據當地印地安人所描繪的資料來看，這種怪物直覺的被認爲像是一種先史時代的怪獸，從資料中不難發現，它們的身長約有六公尺，身體有如蛇形，而頭部則看似馬或山羊之類的形狀。

一九三一年目擊者所描繪的怪物

一九八五年所拍攝的照片

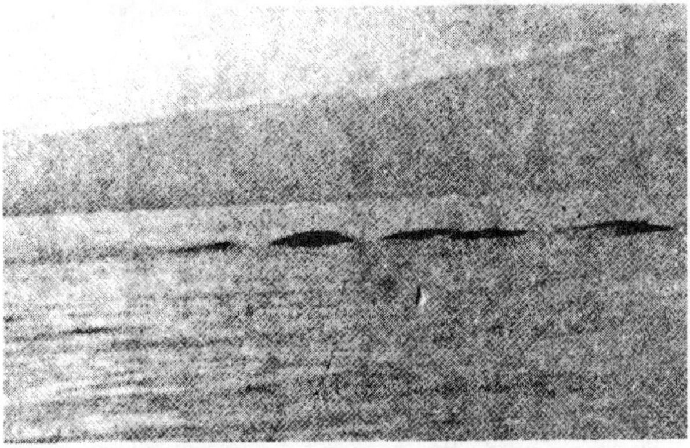

一九七九年所拍攝的照片。這張照片是說明的確有海底怪獸存在的有力證據。

奧卡那寒湖的怪物是不是海豹

有許多目擊者親眼看過奧卡那寒湖的怪物，在一九六八年八月時，研究者成功的用八釐米照相機拍下了這種怪物的樣貌。

有關這種未知動物，到處都存有著各種不同的傳說。

其中有人說它是「海牛」的一種。海牛是一種棲息在佛羅里達南部和非洲西岸的水生動物，在牠們浮出水面的時候，身體總會呈現拱門狀。在這時候，由於頭、鰭、足和尾巴會搖搖晃晃的，所以目擊者看見這種晃盪在水面上的「圓木」時，都會嚇一大跳。

有人說它是「蝶鮫」的一種。蝶鮫是一種長約四公尺，體重約四百公斤的水中生物。甚至於有人認爲這裡的湖底怪物，其實是一種「大型海豹」。這種怪物的頸部很像大型的海豹，當它的頭浮出水面時，馬上會以高速度運行，並且上下蜿延前進，一下子就消失不見，只能讓目擊者驚鴻一瞥。

當然，也有人覺得湖底怪物其實不過是一種大海蛇。

許多生物學者認爲，自古以來當北美氣候變成極寒時，原本一些蛇頸龍這種古代爬蟲動物的卵便被急速的冰凍起來，後來這些卵卻在氣候再度暖化後，自動孵化成形，因此，這些生物學者則主張，這裡的海底怪物可能就是古代的蛇頸龍。

奧卡那寒湖和英國尼斯湖位於同緯度上，因此這兩個湖泊所具有的天然環境與地理環境，基本上是十分相同的。

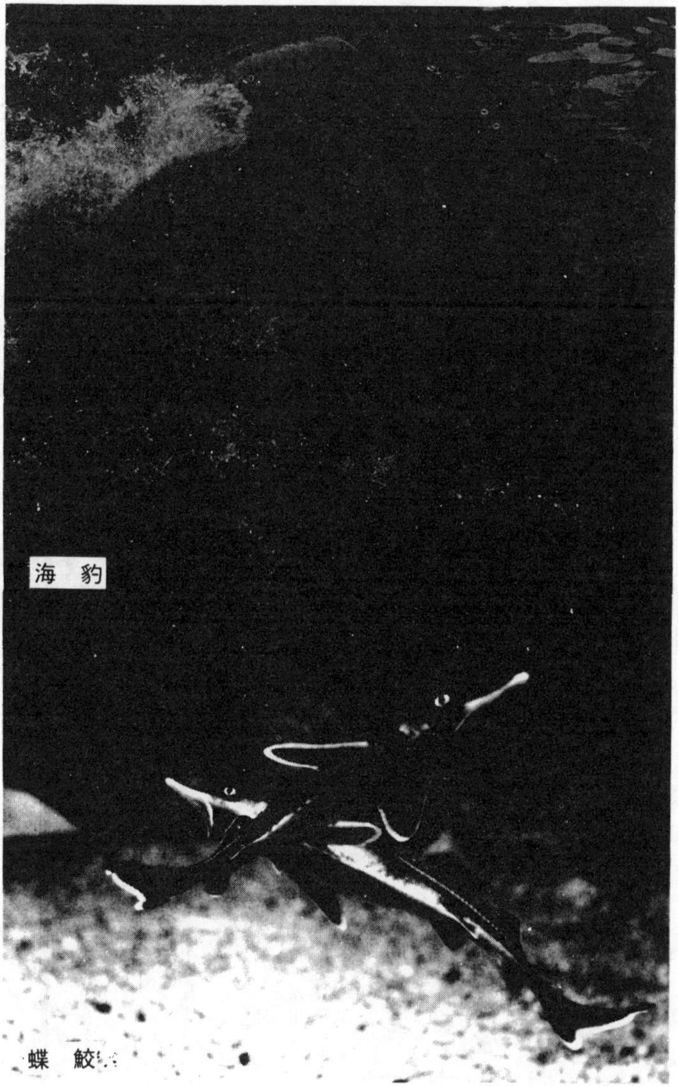
海　豹
蝶　鮫

猶他州貝亞湖的湖底怪物

據說，在美國猶他州貝亞河的湖底有一種湖底怪物棲息著。有許多當地的印地安人都曾親眼目睹這種身上長滿鱗片的怪物。

猶他州州立大學歷史學家羅斯·彼德遜教授表示，有一些摩門敎敎會的重要人物都曾經看過這種湖底怪物。

住在貝亞湖附近的一位機械工格林·韓森也指出，他的父親曾經在湖水波動後，因爲看見了一種不知名的怪物而臉色發青，嚇得跑回家。

當地的印地安人由於曾經受到這種怪物的襲擊，所以對怪物相當的害怕。

有人認爲貝亞湖的怪物和尼斯湖的怪物是相同的。他們覺得也許這種湖底怪物有本事穿梭在這二個湖之中。根據許多目擊者指出，怪物的形狀長得很像海蛇，叫聲則有如狂叫的公牛；而怪物的身體除了像鱷魚一樣佈滿鱗片外，它的頭則長得很像馬頭。

尼斯湖的大海怪

在英國蘇格蘭西北部的尼斯湖中，出現了一種大海怪。它曾經在襲捕了一名四歲男孩後，立即逃之夭夭。

受害者的父親亨利·威爾金為了讓他的兒子欣賞美麗的湖景，便經常帶小孩前往尼斯湖。但是，當天晚上當他將船划到湖中央時，因為天開始變暗，他的兒子湯瑪斯感到害怕，於是他便急忙的要將船划回岸上。

突然間，在船的底下發出了「咕嚕！咕嚕！」的聲音，接著開始在湖中冒起了水泡。於是當船開始劇烈搖動時，威爾金先生便一直努力的不使它翻覆。

這時，水面卻伸出了一個巨大怪物的頭。這隻有著長脖子的怪物，破壞了威爾金先生的船，而他的兒子在此時卻掉入了水中。當威爾金先生準備搭救湯瑪斯時，這隻怪物卻比他更快的捉住了湯瑪斯，而且馬上快速的離開。

根據警方的調查，威爾金先生的證詞並沒有疑點。因為在報告中指出，船上的確留有著不明物體所殘留的黏液可以做為證明。

與蘇聯潛水艇相遇的巨大海蛇

海是一個充滿「謎」的空間。

在黑海中進行調查工作的蘇聯研究用潛水艇，曾經收集了一些深海中巨大怪物的相片資料。這種怪物的頭部像眼鏡蛇，體長約有五〇公尺左右，一般都認為它是一種大海蛇之類的動物。

這種比恐龍早幾百萬年前生存的巨大海蛇，卻在十二天內在蘇聯潛水艇前面出現了三次。而三次出現的地點都差不多是在水深三〇〇公尺左右的海底。最後一次遇見海蛇時，海蛇曾經用它那巨大的頭，敲打著小型潛水艇。

蘇聯科學學院的海洋生物學者阿雷克雪伊·格魯貝夫博士指出：「這似乎是一件很難令人相信的事，但卻是世界上一個最大的發現。當時由於我也身在潛艇之中，所以當潛艇與海蛇相撞時，我甚至認為會被海蛇害死。當時，只有趕快的穩住潛艇才是上策。」

格魯貝夫博士當時正和十二名夥伴，一同乘坐著這艘蘇聯調查船，以三個月的時間來進行黑海的調查研究。

「夥伴中的依溫·西魯可夫博士，曾由潛水艇的觀察窗中，親眼目睹這隻怪物的姿態，他指出單單看它的頭部就差不多有直徑三公尺大小。但是令人感到恐怖的是怪物的口中長著一對獠牙。這隻頭部長得像眼鏡蛇，而又長了一對的獠牙的怪物，整個體積是相當巨大的。」

除了用照像機拍攝巨大海蛇的形態外，這群調查人員也利用艇上的特殊攝影裝置來捕捉它的鏡頭，結果發現，這隻怪物的身體竟然長達五〇公尺左右。

第一章　恐龍還活著嗎？

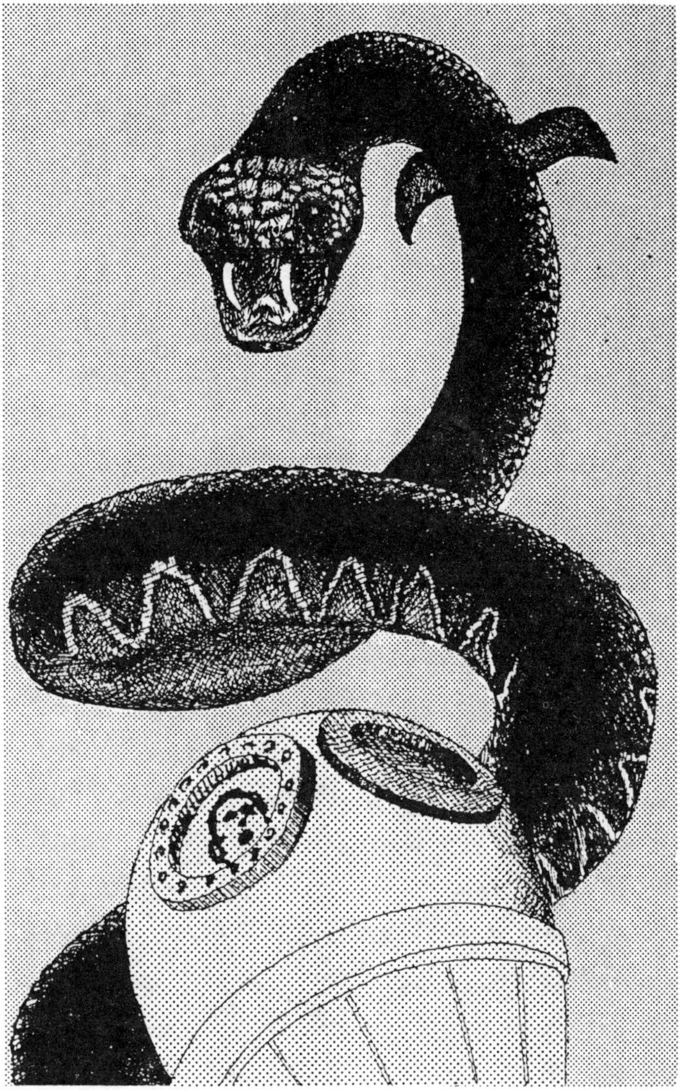

日本各地的水怪

自從英國尼斯湖水怪事件發生後，在日本也出現了許多不可思議的生物，下文中所要敘述的則是其中比較引人注意的。

①出現在鹿兒島縣指宿市池田湖中的怪物，被命名爲「一西」。在一九七八年九月時，差不多有二十多人曾經親眼看見過這種水怪。

而美國在該年十二月時，曾經以先進的電腦儀器，分析當時所拍攝到的怪物背部突出游泳的相片，在專業人員研究後指出，水怪的游泳姿態與爬蟲類動物極爲相似。

②一九七三年在富士山本栖湖附近，有人看見了一種被命名爲「摩西」的水怪。

摩西的身上似乎長著許多的瘤狀物，而身體的正中央卻有著類似魚鰭的構造。此後，陸陸續續有人表示眞的看過這種怪物，而其中更有大部份的人認爲，這種水怪基本上就是一種巨型的鰻類生物。

③在日本水底怪物傳言中，第一個成爲衆所皆知的話題怪物，就是北海道阿寒國立公園屈斜路湖中的「庫西」。

屈斜路湖的氣候和環境大致和英國尼斯湖差不多。

首先發現這種身長一〇公尺到一五公尺水怪的目擊者是一群在一九七三年時到湖上游泳的北見市北見中學的四十名學生。

但是，在後來的許多目擊個案中，由於缺乏實際的照片做爲輔證，因此在公信度方面似乎有所不足。

一西

摩西

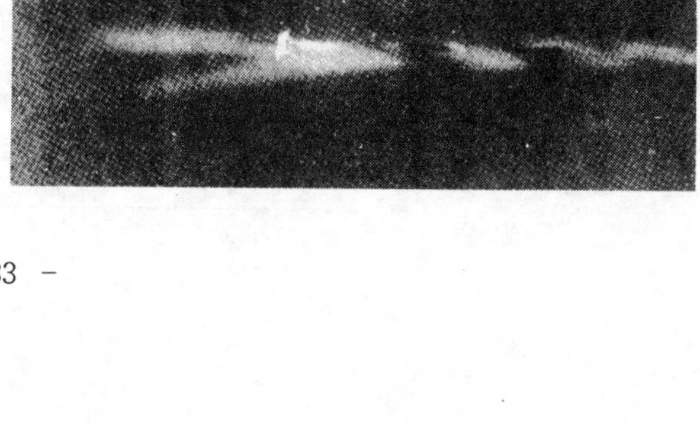

庫西

中國野人的存在

在科學方法的運用下，已經證明中國野人的確有存在的可能性。上海復旦大學加速器實驗室正極力提倡「野人存在說」的理念。這裡所謂的野人和喜馬拉亞山上的「雪男」差不多，都是屬於野生的靈長類動物。自從一九七九年有人在四川、湖北省境的神農架林區中發現了牠的蹤跡後，中國便掀起了一陣研究野人的「野人風潮」。

該研究室中的野人研究家，在收集了野人的體毛及其他數十種靈長類動物的體毛為樣本，加以分析後發現，野人體毛中所含的鐵和亞鉛數值比一般靈長類動物來得多。它的含量是正常人的五十倍，是普通黑猩猩或紅毛猩猩的七倍。因此，該實驗室在得到這樣的研究結果後，便表示「由於野人具有這種特殊的體毛，所以這種特殊的靈長類生物的確是有可能存生的。」

同時，上海華東師範大學生物學講師也曾表示，在十年之間，已經從「野人」生存的湖北省及四川省境附近的神農架一帶，收集了大約八千根的野人體毛，在分析這些體毛後發現，這些體毛中所含有的微量元素和現代人體毛中的含有成份也有所不同。

野人的體毛構造雖然和猿類動物有所差別，但比較起來卻仍然和現代人的構造比較接近。只是，其中鈣、鉻及鐵的含量卻比現代人多得多。

第二章

秘密的動物世界

恐怖的吐唾眼鏡蛇

毒液究竟是如何侵入體內的呢？這主要是和毒牙的特殊構造有關。眼鏡蛇的毒牙通常都是向下的；而吐唾眼鏡蛇的毒牙卻是向前生長。當牠張開嘴，毒液受到筋肉壓迫後，毒液便向前發射。由於毒液量很大，所以在發射了一次之後，也有可能繼續發射。

吐唾眼鏡蛇中最有名的則是生存在非洲乾草原附近，身體全長約二公尺的非洲克洛克眼鏡蛇。這類的眼鏡蛇屬於夜行性動物，白天牠們大多棲息在洞穴之中，到了晚上則會在水邊出現，以捕食小哺乳動物、鳥類、兩棲類或爬蟲類爲生。

非洲克洛克眼鏡蛇的野性極重，即使將牠們飼養在玻璃箱中，牠們仍會對著玻璃外的生物發射毒液，由此看來，這種蛇類的性格是相當兇暴的。

眼鏡蛇雖然是一種最猛毒的蛇類動物，但在這之中，最特殊的則是「吐唾眼鏡蛇」。這種蛇的毒性強自然不在話下，但最令人感到恐怖的，則是牠專門以攻擊敵方的眼睛爲目標。吐唾眼鏡蛇的毒液成份和其他眼鏡蛇的成份相同，都會侵襲中毒者的神經系統。這種毒液只要稍微接觸到皮膚，就會馬上侵入內部而破壞神經系統。

這種毒液一旦侵入了眼睛，整個眼球就如被火燒一樣的痛苦，並且使受害者感到相當難以忍受的刺痛感。當毒液侵入眼中時，一定要馬上用水沖洗，並且一定要以眼藥來處理，如果處理失當，很可能導致失明。

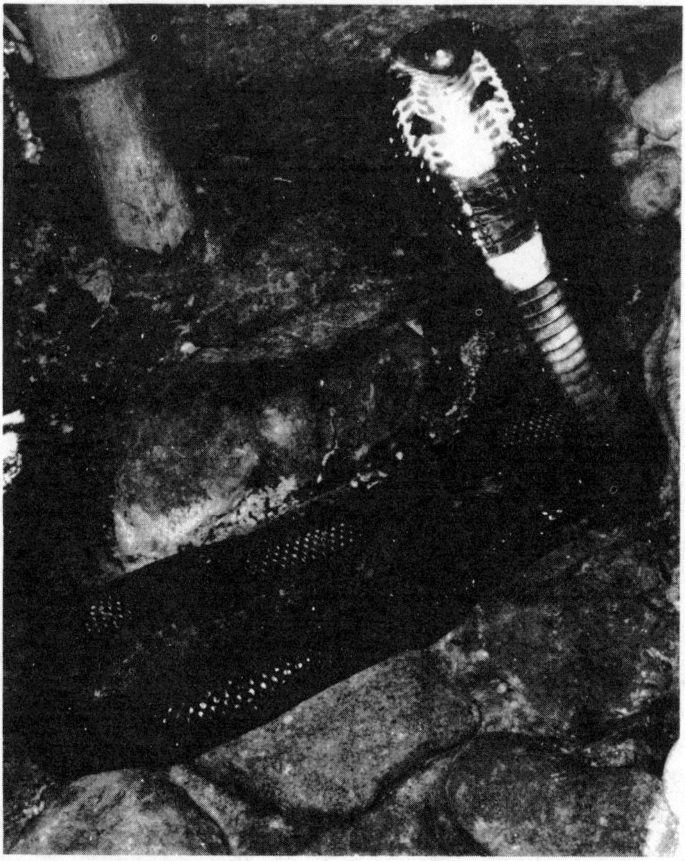

世界最大的蛇與最小的蛇

對討厭蛇的人來說，單單只是聽見有一條蛇長約一〇公尺，就會使他打起寒顫。

在世界各地的傳說中，雖然指出世界上有蛇長度長達二〇公尺以上，但事實上，最長的蛇則是出現在東南亞森林地帶中的網眼錦蛇。

這種蛇非常擅長爬樹，有時還會從樹上往下攻擊經過的動物；不過，通常牠們則多會躲藏在水邊，準備攻擊到水邊來喝水的鹿或山豬。網眼錦蛇的下巴非常有力，獵物一旦被牠捉住，就不可能逃脫得掉。牠們會用巨大的身體，緊緊的環抱著這些獵物，使牠們窒息之後，再慢慢的享用。

雖然，網眼錦蛇也會攻擊家畜和人類，但是由於牠的蛇皮上有著人們很喜歡的網狀圖案，因此，只要牠們一被人類逮捕，就會被剝下皮來販賣。

同樣和這種網眼錦蛇同屬於「兩橫綱」的蛇種，還有南美洲的蟒蛇。這種蛇大部份的時間都生活在水中，以目前確實所記載的資料看來，牠的長度最長不會超過四公尺。

相反的，世界上最小的蛇則是盲蛇。生活在馬達加斯加島的盲蛇，大約有一〇公分長；而生活在新幾內亞的盲蛇卻只有七·三公分長。在蛇類之中，盲蛇族群是以一種最原始形態來出現的。

牠的身體相當細長，從頭到尾粗細都差不多，同時身體都同樣大小的鱗片包圍著。

盲蛇的生存方式和蚯蚓差不多，牠大多在地下自己挖掘隧道生活，因此很少出現在地面上。

在日本盲蛇大多分布在琉球附近。盲蛇由於經常存在於花盆的土喪之中，因此，很有可能在人們移動花盆時，也將牠的生活地區轉移。也許，您家中花盆的土壤中，就有這種最小型的蛇類生存著呢！

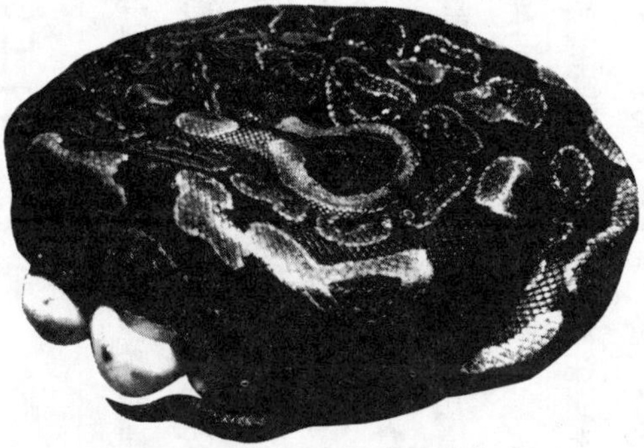

網眼錦蛇

盲　蛇

空中飛蛇

生存在馬來半島，蘇門答臘和菲律賓等地的「天堂樹蛇」是一種非常奇特的蛇種。

這種蛇的體型細長，大約只有一二〇公分左右。牠的身體主要是淡褐色，皮膚上有著茶色和深粉紅色的斑點，看起來非常漂亮，同時由牠的名字也很淸楚的可以知道，這種蛇大多是生存在樹上的。

由於牠們生活的範圍主要是在樹上，所以牠們能以非常敏捷的速度，從這個樹枝移到另一個樹枝上。因此，當牠進行移動時，從地面看來就好像會飛一樣。

這種「飛」其實和鳥類的飛翔並不相同，雖然是一種「滑行」，但樹蛇本身並沒有滑翼或飛膜。既然牠的構造中沒有飛行的工具，那牠究竟是如何飛的呢？

這種蛇在側腹部位，有一個像是用竹子分割成兩邊的凹陷部位，這個部位使牠產生浮揚的力量。當側腹凹陷處充滿空氣之後，就可以使樹蛇具有像降落傘一樣的能力。

這種蛇主要的食物是樹上的壁虎或蜥蜴，不過牠偶爾也會捕捉地面上的鼠類爲食。雖然牠在地面上的行動相當靈活，但牠同時對游泳也相當拿手。

不過，這種天堂樹蛇的毒量雖少，但毒性卻非常強。由於牠的毒牙位在上顎部份，生物一旦被牠捉住時，大多會被注入毒液，所以儘管牠是「飛翔」於樹枝間的蛇種，牠還是會使人產生一種厭惡感。

世界最大的兩棲類

壁虎是爬蟲類，蠑螈是兩棲類，而世界上最大的兩棲類動物是什麼呢？

其實，世界上最大的兩棲類動物要算是生存在日本的「大鯢魚（大山椒魚）」。這種大鯢魚主要是被用來當作強精劑，其中在日本石川縣山中町，曾發現了一尾全長一二〇公分，重達一六公斤的大鯢魚。

此外，在日本岡山縣新莊村中則飼養過一尾全長一二八公分，重達二三公斤的鯢魚。目前，這尾鯢魚已經被製成標本保存在岡山縣的津山市。大鯢魚的身體呈暗褐色或紅褐色，身體上長著不規則形的黑色斑點，頭和嘴巴都很大，但是牠的眼睛卻很小。

白天，鯢魚大多會隱身在水底或大石頭下，到了晚上牠才出來活動覓食。牠主要的食物是河蟹、魚和蛙，吃東西時總是狼吞虎嚥；不過在日本牠卻是最受歡迎的動物之一，經常在水族館中都可以發現牠的蹤影。

雖然鯢魚也生存在中國，不過在日本牠則被視爲特殊的自然紀念物。

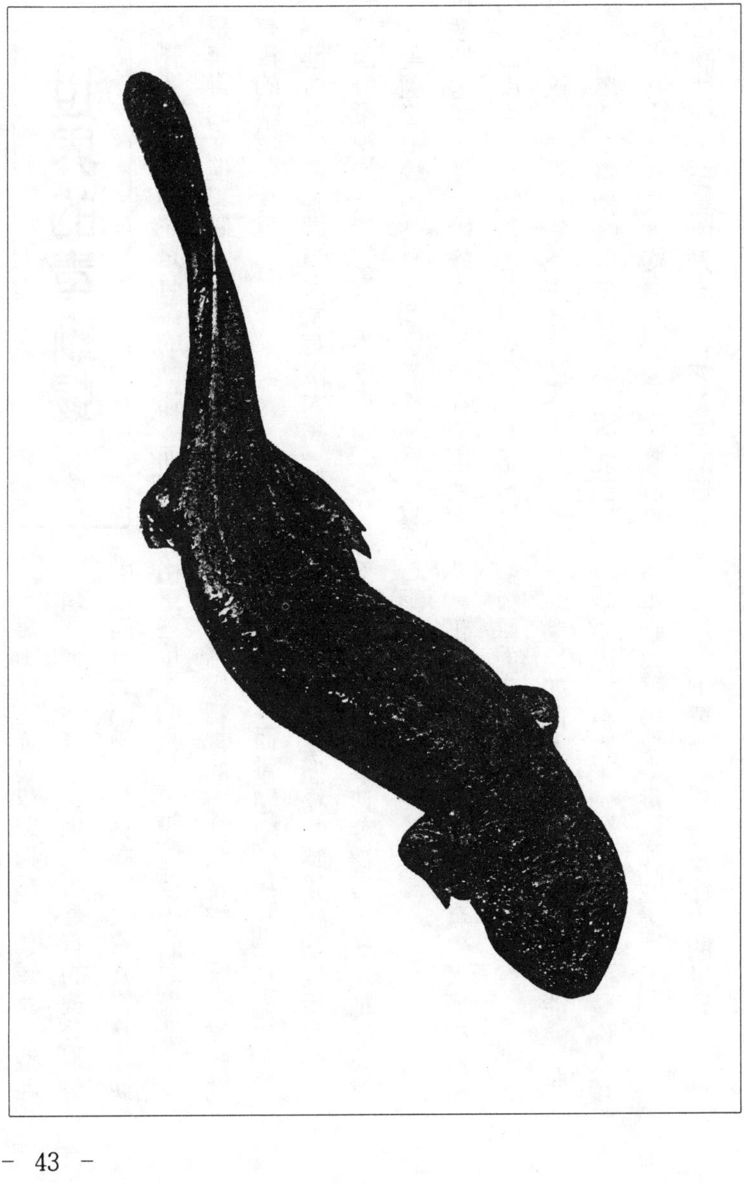

世界的毒蜥蜴

許多人都以爲蛇是有毒的動物，而蜥蜴則是無毒的。但事實上，在日本境內卻有許多有毒的蜥蜴存在著。

世界上有毒的蜥蜴大概有兩大類，一種是墨西哥毒蜥蜴，另一種是美國毒蜥蜴。

美國毒蜥蜴另外有一個別名被稱爲「喜拉蒙斯塔」，這種蜥蜴大多生存在美國西南部的砂漠中。在牠黑色的肌膚中，有著粉紅色的斑紋，外表看起來相當的漂亮。

而墨西哥毒蜥蜴則生存在墨西哥北部的乾燥地區中。身長大約有八〇公分，整個身體呈圓柱狀，在黑色表皮上有著黃色的斑紋，同時皮膚上還有著像珍珠狀的顆粒物。

毒蜥蜴主要是以爬蟲類、鳥蛋及小型哺乳類爲食，牠將這些生物所具有的養分都集中在尾巴的部份，如果有一天沒食物吃，便由這些積聚的養分來供應活動所需的能源。

毒蜥蜴釋毒的方法和毒蛇不同。毒蛇的毒腺在上顎，而毒蜥蜴的毒腺則在下顎。

毒蛇在攻擊獵物的時候，速度相當快；但毒蜥蜴由於攻擊速度緩慢，所以牠的攻擊行動便經常失敗。

正因如此，似乎比較少發生人類被毒蜥蜴攻擊而中毒的意外事件。

話雖如此，一旦不小心仍有可能會發生危險。因爲事實上，也曾經發生過幾件人類被毒蜥蜴咬傷而中毒致死的事件。

爲了不要遭受這種無緣由的災禍，人們還是多加注意才是上策。

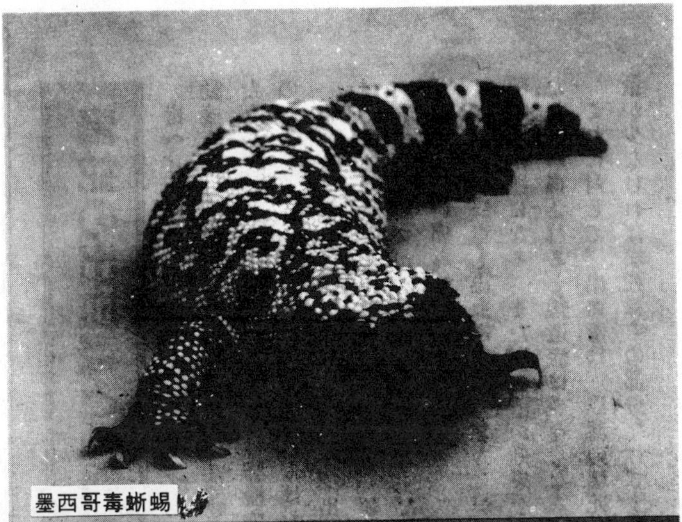
墨西哥毒蜥蜴

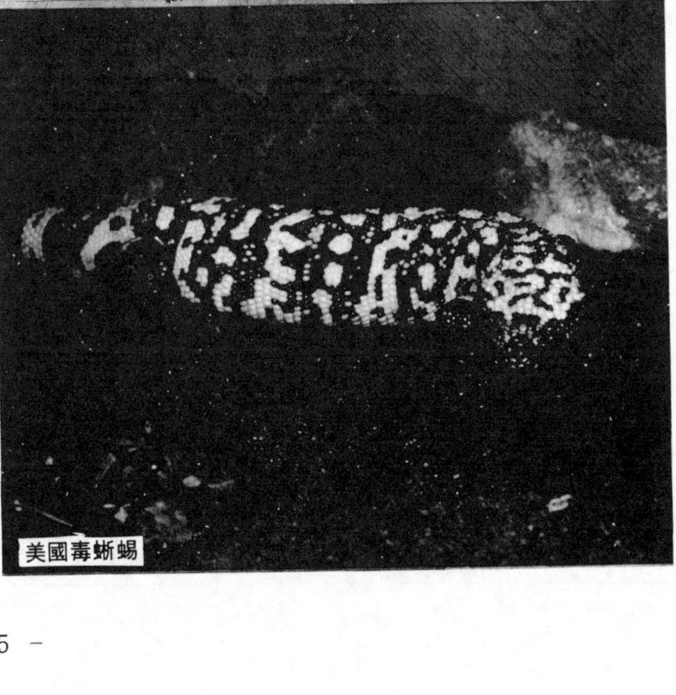
美國毒蜥蜴

毒蛇的出血毒和神經毒

眼鏡蛇可以說是毒蛇的代表者。牠所產生的毒是一種神經毒，這種毒液可以麻痺生物的隨意神經，抑制運動機能。一旦被眼鏡蛇咬傷，雖然不會很痛，但卻馬上會出現無力感，並且立即喪失語言能力，接著很快就會因爲肺機能停止而窒息死亡。在日本南西諸島附近，有許多這一類的小蛇，不過在這個地方倒是還沒發生毒蛇咬傷人的事件。

另外一種毒蛇所帶來的毒是屬於出血毒。被帶出血毒的毒蛇咬傷後，被咬處便會從微血管冒出鮮血，而使得整個組織壞死。在日本帶有出血毒的毒蛇有蝮蛇、鼓腹毒蛇和紅腹毒蛇，被這些蛇咬到的人，通常會因無法忍受疼痛而大聲的哀叫。

究竟神經毒與出血毒那一種比較可怕呢？神經毒的症狀會很快的蔓延到全身各地，使受傷者呼吸困難。同時，在血清還來不及發生效用之前，只好利用呼吸維持器來進行急救。不過，解毒之後通常不會留下後遺症。

相對的，當受傷者所受的毒是出血毒時，身體便會出現局部壞死的現象，然後壞死的狀況便會擴展到全身。雖然當中毒者所受的毒量較少時，細胞壞死的部份會比較少，但是有時在解了毒之後，仍然會出現手指頭無法彎曲之類的後遺症。

眼鏡蛇

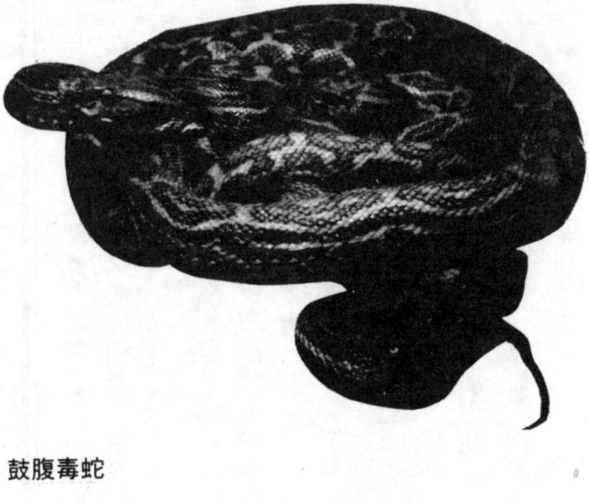

鼓腹毒蛇

毒蛙

南美耶德谷蛙是一種體長約三公分，外表看起來很美麗的毒蛙。這類蛙通常以黃和黑、橘和黑、綠和黑及褐色和淺綠色等色彩組合，所以相當光彩奪目。

然而，牠全身美麗的皮膚黏膜上，卻帶有著極強的毒性。當有動物想要侵捕這類毒蛙時，牠會利用皮膚黏膜上的劇毒，來嚇退這些獵食者，使獵食者再也不敢靠近。

首先注意到這種毒的是印地安人。他們在捕捉了這些毒蛙後，想辦法採集毒蛙皮膚上的毒液，再將毒液塗抹在箭頭上，用來當做狩獵工具。

由於這種毒蛙有這樣的功用，所以牠也被稱爲「箭毒蛙」。這種毒蛙所帶的毒素竟然和河豚的毒素相同，都屬「河豚毒素」類的毒，這一點倒是令人感到很有意思的。

雖然這種毒蛙被視爲「帶刺的美麗薔薇」，但事實上，這個比喻也的確使用得相當合宜。

剣尾蠑螈

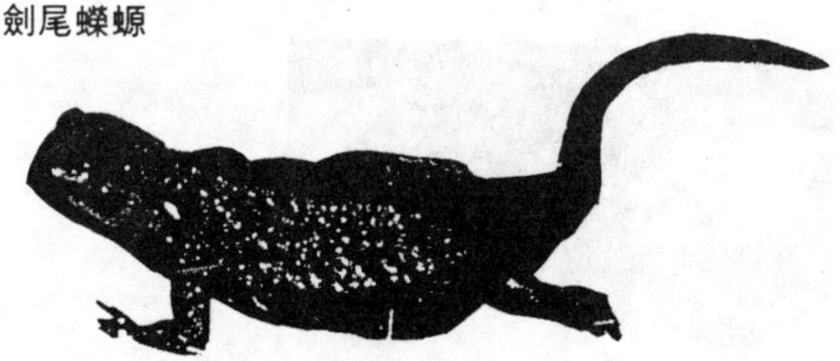

具有河豚毒素的章魚

有許多人認為，河豚毒素只存在河豚的身上。但是，除了河豚之外，河豚毒素其實還存在於許多生物身上。根據研究專家高田榮一先生指出，像是生存在亞熱帶到熱帶淺海地帶中的豹紋章魚身上，就有著河豚毒素。

這種章魚屬於眞章科，普通牠的身體是呈現淡褐色，不過若是突然受到侵犯的話，就會轉變成黑色，產生藍色光亮的斑紋。

如果被這種章魚咬到，頸部和臉部就會產生麻痺，造成語言障礙；接著在一個小時之後，全身就會跟著麻痺，嚴重的話更會導致死亡。而這種種的症狀則和中了河豚毒素的症狀極為相同。

事實上，河豚毒素並不是河豚身體內自己形成的，而是河豚吃了某些可以產生河豚毒素的微生物後，將這些毒素就這樣的積存在體內，而成為河豚所帶有的一種「毒」。因此，除了河豚之外，琉球特有的捻線沙魚和劍尾蠑螈也都有著這種毒素，當然這些生物也就不容易再受其他毒素侵害了。

響尾蛇的超能力

響尾蛇具有躲在暗處捕食小動物的本領。即使用膠布貼住響尾蛇的雙眼，牠們仍然能輕易的捕捉到老鼠。

究竟爲什麼響尾蛇會具有這種特殊的能力呢？

響尾蛇的鼻孔和眼睛位在頭部的兩側，而這中間恰好出現了一對像汽車前車燈的凹陷。

如果這個凹陷處用膠布將它貼起來的話，那響尾蛇就連一隻老鼠也捉不到了。

其實這主要是因爲這對凹陷處是位在皮膚的內側，這裡存有著所謂的感熱細胞，通常人類的皮膚中，大約每一平方公分中，只有三個感熱細胞存在；而響尾蛇這個可以接受紅外線的凹陷部位中，則存有著一五萬個感熱細胞。

這些感熱細胞就是幫助響尾蛇在黑暗中捕捉獵物的首要功臣。當然，在日本的蝮蛇及鼓腹毒蛇身上，也都存有這種感熱細胞。

視力不佳的蠍子

生存在沙漠中的蠍子在尾巴部位都有著一根具有劇毒的毒針。但是，這些蠍子在夜間活動時，視力狀況卻非常的不好。那牠究竟憑著什麼樣的本領來捕食呢？

當沙土發生一點點振動時，蠍子很快就能查覺得到。比如說，牠們雖然無法知道附近是否有小飛蟲在飛，但是只要小飛蟲有碰觸到地面時，這些沙漠中的毒蠍子都馬上能注意到。

美國俄勒岡州立大學的布拉伍涅魯博士，對蠍子所具有的這種能力非常的感興趣，他曾經以這種蠍子在實驗室中進行有趣的試驗。①在裝滿細沙的飼養箱中，留著一條極細的孔道，以隔絕左右兩邊的振動。②將蠍子放置在左側，然後用棒子輕敲左側沙土的表面，此時蠍子並沒有反應。③接著將蠍子放在中央，使牠八隻腳分別以四隻各踩在左右兩邊的沙土上，這時當博士用棒子敲打左邊的沙土時，蠍子的身體便會轉向左方。

因爲蠍子的腳部有著感覺毛，因此牠能很敏銳的感受到沙土所引起的振動。這種感覺毛的毛根是一種類似豎琴形狀的構造，它能感受到振動發生的方向。於是，沙漠中的這些毒蠍子，便利用著這種特殊的器官，來發現並捕捉許多在沙土上活動的昆蟲。

吸血蝙蝠

蝙蝠是一種相當不受歡迎的空中動物。蝙蝠的口和鼻會發出一種超音波，而牠的耳朵則能接收到這種超音波碰觸到生物後所傳回來的反射音，利用這種反射音，蝙蝠便能捕捉到可以供牠們享用的獵物了。

在蝙蝠中，最令人感到害怕的則是所謂的吸血蝙蝠。吸血蝙蝠大多棲息在南美或中美，當牠張開雙翼時，整個寬度大約有三〇公分左右。

吸血蝙蝠的活動相當冷靜快速，感覺上與日本的忍者相當類似。牠總是靜靜的等待著黑夜的來臨，在夜晚人類、牛、馬都成了牠所能攻擊的目標。這種吸血蝙蝠會在目標物不注意的時候，先用牙齒在目標物身上咬下一個傷口，然後等著這個傷口流出血來。

當目標物的傷口開始流出血後，牠們便開始慢慢的享用這些鮮血。吸血蝙蝠的唾液中，有種使血液不會太快凝固的成份，因此，牠可以先用舌頭嚐嚐鮮血的滋味後，再予以慢慢的享用。

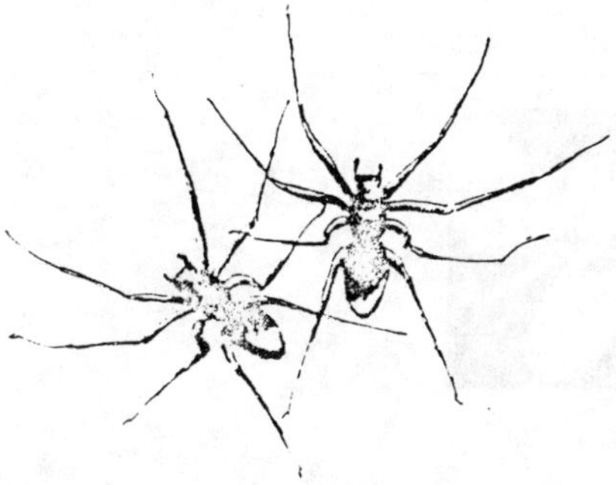

恐怖的毒蜘蛛

毒蜘蛛是一種足以和毒蛇並列恐怖地位的動物。澳洲米德尼附近的居民，就對一種被命名爲米德尼的毒蜘蛛感到相當的困擾。

這種蜘蛛的毒非常劇烈，大約只要一萬七千分之一毫克的液量，就足以使中毒者喪命。米德尼毒蜘蛛的牙齒非常的尖銳，甚至於能穿透鞋子刺入腳底。同時，由於這種毒蜘蛛的性情相當兇猛，所以，如果萬一不幸有這種毒蜘蛛附著在身上時，千萬不可以振動身體以免對牠造成刺激感。

由於毒蜘蛛的巢穴大多位於深層的地底下，所以並沒有辦法驅除牠們。也許利用壓路挖土機深入地下一公尺處可以消滅這些毒蜘蛛，但事實上，這是一件無法做到的事。

如果使用殺蟲劑當然能殺死這些毒蜘蛛，但同樣的也會使其他生物受到傷害，所以這仍然是一個行不通的方法。而且很不幸的到目前爲止，甚至於還沒有發明可以根治這種蜘蛛毒的疫苗。

足底有吸盤的奇異昆蟲

在科學研究的歷史中，經常會出現新種的動物。最近有一群科學家在仰天觀察時，發現了一種外表看起來令人相當不舒服，並且有著六隻腳的巨大昆蟲。其中最特別的一點則是這種昆蟲在牠腳部的前端，還有著類似於吸盤的構造。

英國王立動物虐待防止協會的監督官約翰·波爾先生也曾指出，在英國的原野上也曾經發現這種奇怪的生物，他更表示這種生物具有著所謂的背筋。

有關這種全長一二·五公分的動物，目前正有許多熱心的科學家從各種不同的觀點進行相關研究。

例如，專門研究尼斯湖水怪和大腳印等動物之謎的加拿大未知動物學家查克·安迪爾博士，就對這種昆蟲的實際研究相當感興趣。

目前根據已經得手的照片資料來判斷，有許多研究者認爲這種動物也許是來自於另外一個我們所無法採知的空間也說不一定。

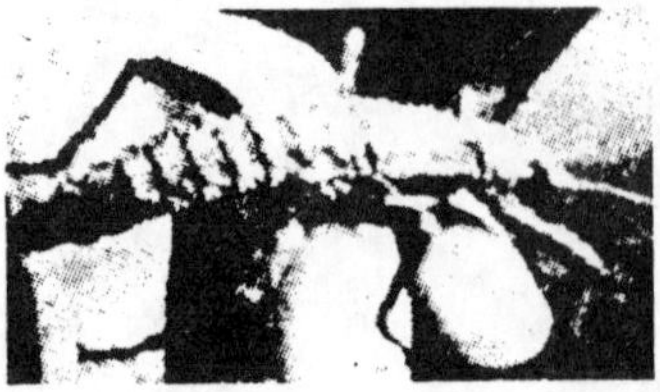

在冰凍狀態中生存了百年的鯢魚

以西伯利亞的冷凍土帶來說，最有名的一件事就是在此發掘了猛瑪象。然而，在西伯利亞的凍原地帶上，除了發現金礦外，更重要的則是發現了處於冷凍狀態的鯢魚。

這種鯢魚的發現地是位於凍原地底一〇公尺的位置上，在發現不久之後，這種處於冷凍狀態的鯢魚竟然可以活動。不過，當研究人員將牠置放在玻璃容器中飼養後，沒過幾天牠就死了。

在當地地質學博物館中，已經將這個鯢魚的屍體和猛瑪象的遺骸放在一起陳列展示。而蘇維埃科學院的索羅摩諾夫教授則表示：「有許多種類的鯢魚在永久凍土帶中都能以假死的狀態存活，在經過幾十年、幾百年，甚至於幾千年後，只要條件適合，都可以再甦醒活動。因爲，在這個地帶中，以前就曾經有過與這次經驗相同的發現了。」

肺魚是一種「變種魚」

「魚並不一定只能生活在水中」，具有這種特性的魚類最有代表性的那就首推「肺魚」了。目前所知道的肺魚在澳洲有一種，在非洲有四種，而在南美也有一種。這些肺魚都棲息在淡水中。

魚若要在陸地上生存時，所要面對的困難有很多，其中最大的問題在於「呼吸」。肺魚在水中生活，可以利用牠的鰓來吸收溶於水中的氧氣，借此來進行呼吸作用。

鰓是一種在軟骨上佈滿微血管的器官，當它漂浮在水面時，吸收氧氣的表面積便會擴大。但是，到了陸地時由於已經離開了水，鰓便無法呈現漂浮狀況，如此一來便會使魚類的呼吸遭受相當大的問題。因此，的確需要擁有佈滿血管的肺，才能使魚類能在陸地上生存。

肺魚在與食道相接的部份有著一種與蛙類肺部相同，充滿著血管的袋狀構造組織。當肺魚浮出水面後，便利用這種構造來進行呼吸。其實像肺魚這樣具有類似肺部構造的浮袋組織，也不是難以令人接受的事實。

「當乾季河川乾涸時，有些魚類也能在乾枯的河床上繼續生存著。在非洲就有一種肺魚能夠像蛋殼一般的潛入泥中，忍受著乾燥（夏眠），而且在這種狀態下，牠還能夠生存三年。」（奧井一滿先生提供）

因此，這種介於魚類與兩棲類的之間的生物，人們通常都將牠們視為「變種魚」。

第二章　秘密的動物世界

車諾比的巨鳥

提到蘇俄的車諾比，大家首先就會聯想到使人類陷於恐慌的核能電廠爆炸事件。然而在這所發電廠的附近，竟然出現了因爲受到大量放射能源影響而巨化的大鳥。

住在蘇俄的英國記者托雷巴．赫魯威先生，就曾針對這種看起來令人相當厭惡的鳥類指出：「這種鳥比一般成年男性來得高，體重大約在一〇〇公斤以上。這大概是原先被飼養在車諾比核能廠附近的鳥類。蘇俄科學家在捕獲這種鳥類之後，就在當地的研究所中，進行有關受到放射能污染影響的研究調查。」

這種被稱爲象鳥的鳥類是由處理核爆事件的工程人員最先發現的。當這位工程人員聽見附近森林傳來很恐怖的鳴叫聲而前往查看時，竟然在林中發現了這種巨鳥。有關單位在接獲報告後，馬上派出了搜捕小組，一直花了好幾週的時間才好不容易捉到巨鳥。

由巨鳥羽毛脫落的情況來看，牠受到放射能污染的可能性相當的大。

同時，這種鳥類最引人注意的部份則是那巨大的尖嘴和又大又黑的眼睛。到目前爲止，牠的身體仍然不斷的成長著，這一點的確讓研究者感到相當的憂心與不自在。

不睡覺的尖鼠

睡眠對動物來說，是一種和飲食、排泄一樣絕對不可缺少的生理機能。

但是，在進行睡眠研究時，科學家卻發現了一些持續活動四六小時，完全不處於睡眠狀態的動物。

比如像是在高山上或絕壁中築巢的雨燕，白天牠們爲了捕食，必須在空中飛來飛去，但是到了傍晚，這種鳥類卻往更高處飛，一直到次日早晨才又飛下來覓食。

熊或獅子這類猛獸，由於較不必擔心會受到其他動物的攻擊，所以牠們的睡眠時間總是比較長。但是，草食性動物因爲時時刻刻都怕會被肉食動物攻擊，因此牠們不論是飲食、交配，甚至於睡眠都會以短時間的狀態來進行。

非洲象爲了要維持巨大身體所需的養份，所以牠每天都要吃下很多的食物。

動物園每頭非洲象在一天中必須吃下四、五公斤的乾草，一公斤的玉米，一公斤黑麥，四、五公斤紅蘿蔔，四、五公斤甘藷，三～四顆高麗菜，以及大量的蘋果、橘子、麵包和餅乾等食物。

而必須自己覓食的野生象，因爲運動量更多，所以爲了要取得更多的食物，牠必須花上更長的時間來覓食。當然如此一來，牠的睡眠時間便相對的減少了很多。

屬於食蟲類的尖鼠，幾乎是一種完全不睡覺的動物。

以尖鼠嬌小的體型來看，牠體表面積所

佔的比例似乎過大，因此使得牠的體熱形成一種相當浪費的散熱狀況出現。在這種情形下，爲了將體熱迅速的傳送給各組織器官使用，牠的脈搏數便出現高達每分鐘一〇〇〇次的驚人速度。

同時，爲了要維持這麼大的氧氣需求量，牠只好每天都要攝取和自己體重等重的食物才能維生。

如此一來，尖鼠便完全失去了睡眠的時間了。一旦尖鼠因爲太疲倦而睡著時，他在這同時就會因爲飢餓而眞的一睡不起了。

利用超音波的彌猴

蝙蝠是一種能利用超音波來飛行的動物。不過在生物界中，具有這種能力的生物並不是只有蝙蝠一種。

例如，有一種分佈在中美到南美一帶，俗名爲「袋猴」的彌猴，牠們就具有這種特殊的能力。

許多彌猴的巢都在熱帶雨林的林木上，其中最大型的身長大約有四〇公分左右，而最小的品種長度大概只有一三、四公分而已。彌猴大多會發出「ki!·ki!」或「chi!·chi!」的叫聲來威嚇其他的動物。而這些聲音中就包含著所謂的超音波。

這種超音波究竟使用在什麼狀況下呢？目前雖然還沒有肯定的研究結果出現，不過根據許多實際狀況來看，當這些彌猴躲在樹上而發現有人類出沒時，牠們就會利用這種超音波來通知夥伴們多加注意。

彌猴屬於雜食性動物，牠們除了食用水果或樹果外，也吃一些小型的昆蟲，不過在昆蟲中也有許多可以發出超音波的種類存在著。因此，這些彌猴便會使用超音波以「反探」的方式，找出這些昆蟲棲身的地方，而將它捕食。

具有超級生命力的桑蟲

蟑螂是一種被認爲會比人類存在更久的生物。然而桑蟲卻是比蟑螂生存力還強的生物。牠們的身體雖然只有〇・二公釐，但是牠卻擁有著相當驚人的生命力。首先，在對溫度的抵抗力方面，在加熱到攝氏一〇〇度的環境下，仍然可以生存六小時左右。

相反的，在冷卻到攝氏零下二六度的環境中，牠們仍然可以存活著。同時，牠們對放射能的抵抗力也很強。人類處在一萬倫琴（放射線劑量單位）的環境下就會馬上死亡；而桑蟲在五七萬倫琴的環境中，居然有半數在經過二四小時的照射後依然能夠存活。更令人感到不可思議的是，當牠們處在大約只有一〇〇〇分之一氣壓的眞空環境中時，生命力竟然不會受到威脅。

大英博物館中以水浸漬而保存了一二〇年的乾燥桑蟲標本，更有記錄表示曾經發現過標本活動的狀況。

當然，桑蟲的這種超級生命力是有秘密存在。當環境出現惡化時，牠們會將身體狀況轉移至一種休眠狀態中，在這種休眠狀態出現時，便能使牠們安全的渡過所有的惡劣環境。

也許，未來在人類滅絕之後，世界上會成爲蟑螂和桑蟲的天下。

不能飛的鳥

大家都知道並不是所有的鳥類都能在空中飛翔。而本文所要提出來探討的則是「鳥為何不能飛？」鳥之所以能自由自在的飛翔，主要有下列幾個因素：

①牠處在不飛就無法生存的惡劣環境中。②具有富彈性及耐久性的羽毛。③身體形狀屬於流線型，使飛翔時空氣阻力減少，而適合飛行。④胸部肌肉發達，適合振翅運動的進行。⑤擁有輕巧、堅硬、強壯的中空羽骨。

這些就是一般所謂的飛行條件。不能飛的鳥類，鴕鳥、食火雞及企鵝等動物，就不具有這些飛行的條件。

企鵝由於有著三二根的尾羽，因此牠可以像鳥類在空中飛行一樣，自由自在的在水中生活。

鴕鳥的翅膀雖然因為退化，而使牠無法飛行，但牠的翅膀碰見敵人時，仍然具有著嚇阻的作用；同時雌鴕鳥的翅膀還具有著吸引雄鴕鳥的作用呢？

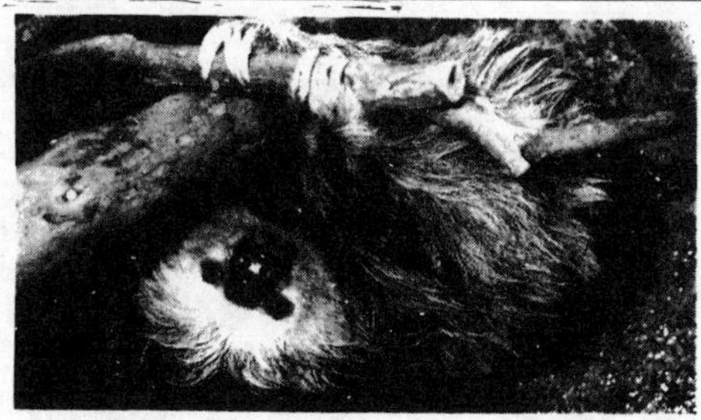

樹懶的生活

電視節目所播放的動物特集中，最受觀衆喜愛的單元，就是介紹動作特別遲緩的樹懶。

以爪子的數目來看，樹懶可以被區分成二指樹懶和三指樹懶兩種。牠們並不和猴子屬於同類，反而是算在食蟻獸類之中。

三指樹懶生活在中南美洲的森林之中，當牠們棲息在樹上時，一天竟然可以睡上二十個鐘頭。

中南美洲由於高溫多雨，所以除了到處長滿青苔外，在樹懶這種長毛動物身上，也長了許多的蟲子。

由於樹懶非常懶得動，因此牠們的頭可以旋轉二七〇度以便觀察周遭的環境。樹懶的步行速度在最快的情況下，仍然只有每分鐘四公尺而已，而差不多一個星期或十天，牠們才需要排泄一次。由於樹懶的行動實在太過於緩慢，因此，在沒有學者專家如此有耐性的等著進行觀察的情況下，目前各種有關樹懶的觀察記錄當然令人感到不足。

在缺水的環境中無尾熊能生存嗎？

一般說來，草食性動物的腸子都比較長。而其中，無尾熊的盲腸更長達二公尺。無尾熊之所以有這麼長的盲腸，主要和牠們只吃尤加利樹的樹葉有著很大的關係。尤加利樹的葉子有著一種揮發性很強的油，這種油對無尾熊以外的動物來說都是有毒的。

雖然研究人員知道無尾熊可以利用體內的解毒作用，將這些毒油轉變成無毒狀況；但是對於這種解毒組織，卻仍然無法瞭解。尤加利樹的成份中，能被無尾熊利用的，則是纖維素之類的碳水化合物；不過，這種纖維素並不是以一種營養素的方式被吸收，而是利用它促使盲腸當發酵室，在此利用腸內既存的細菌來進行食物分解。因此，這才使得無尾熊的盲腸比一般動物來得發達。

同時，無尾熊的一生大多是在樹上度過的，因此牠幾乎是不太喝水的。而事實上，尤加利樹葉所含的水份和樹葉表面的露水就足夠無尾熊需要了。在尿少的情況下，無尾熊的汗水也少。由此可見，葉片上的少量水份，自然得在無尾熊的體內發揮出最大的功用。

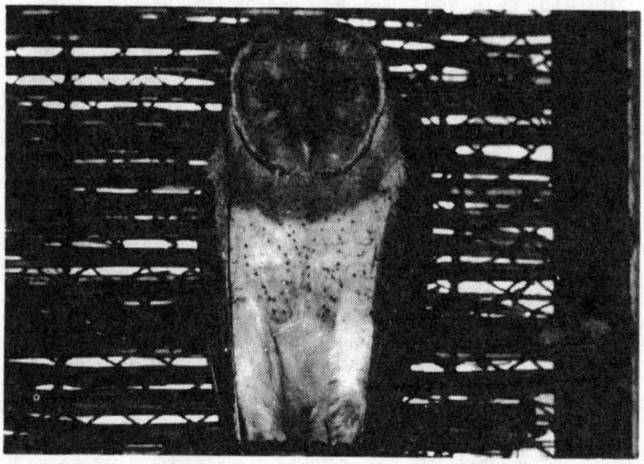

雙耳不均衡的貓頭鷹

在貓頭鷹中有一種名叫「面梟」的貓頭鷹。這種面梟分佈的區域很大，牠們主要是以捕食野鼠為生。

不過，這種面梟的左右耳聽力卻出人意外的非常不均衡。

面梟的右耳長在臉部的上方，而左耳則長在臉部下方。因此右耳對於來自上方的聲音非常敏感；而左耳便專門接收來自下方的聲音。

許多人都覺得面梟的雙耳除了具有收聽左右方的音響似效果外，還有著接收上下方的音場作用。因此，當聲音從上下方傳來時，牠們也就不像人類有必要將頭上下的擺動。當然當地面有鼠類經過有發出聲音時，牠們更能正確的掌握傳來聲音的位置；而當上方有昆蟲飛過時，牠們也能利用昆蟲翅膀振動所發出的聲音，來捕捉這些小蟲。

中國哈那斯湖中世界最大的淡水魚

新疆維吾爾自治區北端，在接近俄國國界的哈那斯湖中，生存著被認爲是世界上最大的淡水魚。哈那斯湖位在天山山脈的東北方，當地是中蘇邊界標高一三七〇公尺的一座山地，湖水的主源來自阿爾泰山。在冬季時，大約有五個月湖水都呈結冰狀況，河川與俄國相通，最後湖水經俄國自北極海出海。湖的四周在夏天時，雖然有哈薩克族和蒙古族的游牧者在此生活，但除此之後，這裡幾乎可說是一片人煙罕至的秘境。

湖中出現的這種世界上最大的淡水魚，在當地被命名爲「紅哲羅鮭」，屬於鮭魚科。根據當地新疆大學的生物學者表示，這種魚的身長差不多有十一公尺，而體重更在一公噸以上。附近的游牧民族間流傳著「牠們能吞下一隻馬」的傳言。

在新疆有位生物學的副教授大向先生，曾經在二年前親眼見過這種大魚。

這種被稱爲紅魚的魚類，平時都生活在湖底的最深處。在沒有風的日子中，差不多從早上十點一直到中午，魚便會浮到比較靠近水面的區域中。小的約有二公尺長，大的甚至長達二〇公尺左右。雖然目前並沒有掌握魚骨或照片等證據，但是，卻已經有人在此釣上過重達三八公斤的紅魚。因此，在這座湖附近才會到處流傳著「到水邊喝水的牧馬，突然被水中的魚吞掉」或是「岸邊的死魚必須用十七頭馬才能搬得動」的消息。

能吞食人類的大鯰魚

我們經常可以聽到人類在沼澤邊被鱷魚吞食的消息，但事實上，也曾發生大鯰魚吞人的不幸事件。這種吞人的大鯰魚就是在歐洲被命名為「威魯茲」的巨大鯰魚。

在南法雖然曾經捕捉過，重三〇公斤長達二公尺左右的威魯茲，但在同類型中，被捕的這尾鯰魚仍算是比較小型的。

在這其中最巨大的「威魯茲」身長大約有五～六公尺，而體重更是高達三〇〇公斤以上。

威魯茲平時大多潛藏在河底，到了春天牠的活動便開始活潑起來，當牠們浮出水面時，鴨子、狗，甚至於人類都成了牠們所能襲擊的目標。

專門在河中捕魚的漁夫曾經作證表示：「從捕獲的威爾茲腹中，發現過人類的遺骨。」而事實上，在匈牙利就眞的發生過二名少女遭受大鯰魚吞食的悲劇。

巴西的巨大蚯蚓

巴西亞馬遜河的上游地帶，一直是一個相當神秘的地區，在此存在著許多人類知識範圍以外的不知名生物。

一八四九年時，住在巴巴格伊歐河附近的迪歐斯一家人，突然被有如瀑布般的雨聲嚇住了。由於當時並不是雨季，因此他們全家人便以一種很訝異的心情窺視著窗外。

過了一會兒，天空馬上就放晴了，星星也跟著又出現了，於是全家人便又回到了睡夢之中。

隔日早上，當他們踏出家門時，卻嚇了一大跳。在他們眼前竟然出現了一個像是挖了一半的小土堆，而另一半則是一條很深的溝道。這條溝道的寬度大約有二～三公尺。

這倒底是什麼動物的傑作呢？他們認爲這必定是和前一夜那場大雨有關，這種生物可能也是受到雨聲的影響才挖出了這樣的一條溝道的。

其實挖掘出這條溝道的生物，在巴西文中牠的名叫做「米紐坎」，而所指的就是巨大的蚯蚓。

除了這件奇怪的事件外，也曾經有人看過這種大蚯蚓在挖掘出寬五公尺的溝道時，造成沙土振動的情況。

不過，自此之後這種巨大蚯蚓就再也沒出現過了。自從人類進入二十世紀後，就再也沒出現過目擊者，因此這種巨大的蚯蚓是不是已經滅種了，對人類來說可能永遠是一道不可解的謎題。

法國的半魚人

以半魚人棲息在亞馬遜河流域爲主題的電影曾經造成很大的轟動。

但是，一九八七年五月在法國的比斯海灣，卻從海中出現了一種帶著綠色鱗片的怪物。

根據目擊者表示，這個怪物有著又黑又大而且相當怪異的眼睛，牠的腳還能划著水，看起來就像是電影中的半魚人。

然而，這種怪物就在那一瞬間又消失了。

此外，一九七二年時，在美國利特魯邁阿密河附近也曾經發生過類似事件。當時有二名坐在巡邏車中的警官指出，他們看見了一個大約像狗一樣大小，臉部長得很像青蛙的怪物。

後來，有一位到河川附近遊玩的小孩也目擊過一個大約有一·二公尺高，灰色皮膚的巨大青蛙。

日本魔鼠

在日本有一種身長六〇公分左右的魔鼠存在著。

事實上，這種魔鼠大多在千葉縣的市川市中出沒。其中最常出現的則是從地鐵東西線行德站出發後，大約經過二～三分鐘的「妙典地區」。

這片被用來做爲垃圾掩埋場的土地，正是魔鼠所樂於棲息的場所。

這種老鼠最大的特徵就是看起來非常的巨大。目擊者指出，如果把尾巴算在一起的話，這種魔鼠的長度大約有一公尺左右。這種魔鼠和一般老鼠的活動狀況差不多，牠們大多會選擇夜晚來活動。

然而人類似乎不必要擔心，如果這種魔鼠再不斷的繁殖是否會危害人類，甚至於侵襲人類。

其實這種魔鼠的學名叫做「馬斯克萊特」，原產地在北美大陸，是以濕地生長的草根或莖爲主食的草食性動物。而事實上，牠們更是一種相當細心的鼠類生物。

魔鼠也許是二次大戰時，日本人爲了要取得牠的毛皮才從美國移殖進日本的，也正因此，「馬斯克萊特」現在才會出現在日本境內。

太陽羅盤與蟾蜍的關係

鳥類可借助太陽羅盤而飛行的奇特能力在科學上已經得到了證明。但是除了鳥類之外，在自然界中具有利用太陽羅盤能力的動物還有很多，蟾蜍就是其中的一種。

蟾蜍通常都生活在距離水邊較遠的地方，只有在產卵時才會聚集在水邊。爲什麼牠們平時要離開水邊生活呢？

歐洲蟾蜍生存的地區，離水的最近距離是一公里，而最遠的竟然長達三公里。

屬蛙類的蟾蜍居然要在離水三公里的地方生存，的確是一件令人費解的事。

然而，在此值得注意的一點則是蟾蜍用什麼方法探知方向？牠們要如何知道賴以生存的水源在什麼地方呢？

爲了要解開這個謎題，科學家已經進行過種種的研究了。首先，科學家將實驗用的蟾蜍標上記號，有的被蒙住眼睛，有的被蒙住鼻子，然後開始進行實驗，結果發現，蟾蜍必須得依靠嗅覺來尋找方向。

但是，在後來的研究中，科學家們卻發現除了嗅覺之外，蟾蜍還能運用太陽或星星的位置來辨認方向。

當科學家以蠑螈來進行同樣試驗時，也出現牠們具有這種利用太陽羅盤來辨認方向的能力。於是科學家們都認爲，也許兩棲類動物都具有這種特殊的能力。

為何老鼠要集體自殺

提到動物的大遷徙時，最有名的大概是旅鼠吧！這是一種生存在挪威瑞典等高原地帶的一種鼠類動物，牠們的數量增加得非常快，從四～五年開始到第十年，整個生存狀況，便有著驚人的數字出現。

在這種大量繁殖的情況下，食物的供應當然缺乏，於是牠們只有選擇集體自殺的方式，才能解決這個問題。

在集體自殺剛開始時，只要碰見草、農作物、柔軟的植物葉片或莖幹，牠們都會吃個精光，遇到河、湖泊、沼澤時，則會以游泳的方式渡過，然後繼續朝海洋前進。

在長途跋涉中，有一些旅鼠會因疲勞或生病而死亡，也有一些會被大野狼或狐狸捕食，然而僥倖生存下來的餘鼠仍然會繼續以海洋爲目的地。

一直到抵達海邊後，牠們仍繼續向著海面進軍，於是便一隻隻的走進海中，而消失不見。

然而，並不是所有的族群都必須參加這種自殺行動。在牠們的族群中，必須要事先留下一部份，繼續進行傳宗接代的工作。

為何海豚要集體自殺

日本宮崎醫學大學的森滿保教授指出，海豚因爲體內出現了一種使聽覺神經發生錯亂的寄生蟲，而使得牠們集體游向海灘，離開水面產生所謂的「集體自殺」行爲。

海豚或是小型鯨魚出現湧向海灘的離奇行動，在日本古事記一書中早有記載，但是這種說法對生物界來說原本只是一個謎。然而，在一九八八年九月時，日本長崎縣壱岐這個地方卻眞的發生了一二〇隻海豚集體湧入海灘，而造成半數以上死亡的自殺事件。

當森滿教授所組成的研究小組對這些海豚進行調查時發現，所有自殺的海豚在牠們的體內都生存著一種足以使聽覺神經發生病變的寄生蟲。這種寄生蟲最大的大約有二～三公分，牠們分布在海豚鼻子開始到內耳的部位中，而其中寄生蟲存在的數量最多的竟然有上千隻。

在正常的海豚中，也有這種寄生蟲存在著，只是在數目上非常的少。

由於在調查中發現，所有參加自殺行動的海豚體內，確實都存著這種寄生蟲，因此森滿教授肯定的表示：「自殺的原因是因爲這些寄生蟲造成海豚聽覺錯亂所致。」

然而，水產廳所提出的研究則指出，海豚之所以產生集體自殺的行爲，乃是與自古以來所傳的「海底地形說」有著密切的關係。他們認爲海豚支氣管所發出的超音波如果遇見障礙物時，便會接收到反射波。然而，當牠們向沙灘發生超音波時，由於受信不良，使牠們認為前進的方向是沒有障礙物的深海，於是牠們才會大舉的朝向海灘前進，而造成大量的死亡。

不過，最近在英國方面則以許多統計數據為基礎，提出「地磁氣異常說」，來解釋海豚自殺的原因。他們認為海豚的行動必須依賴地磁氣，由於海岸線附近的地磁氣出現混亂，才使得海豚集體的游上海灘。

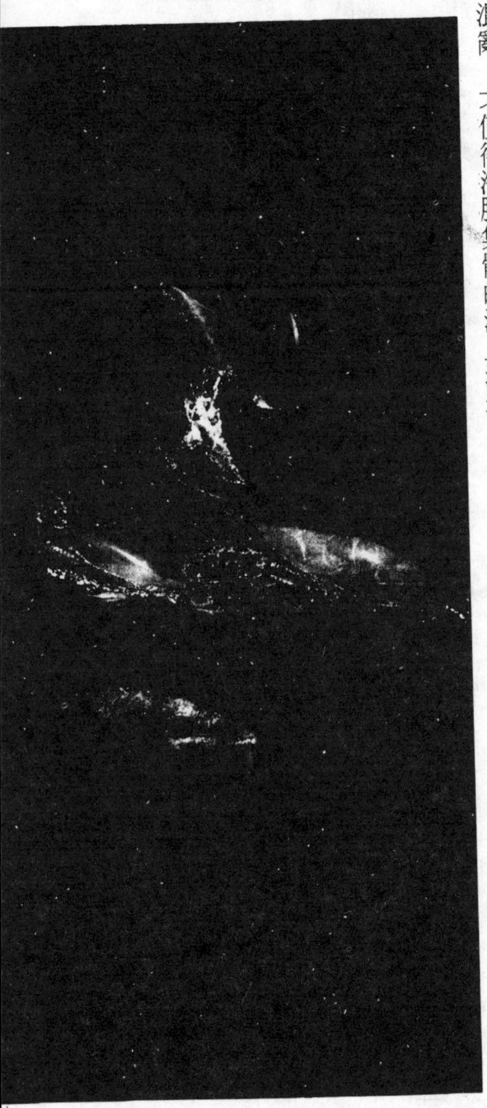

由於海豚在遭遇困境時，就會利用「聲」來向同伴求助，雖然海豚整體聽覺受到干擾而上岸的解釋並不容易被接受，但也許牠們在聽覺發生障礙後，誤以為岸上有同伴求助，而想一起來拯救同伴也說不定。不過，森滿教授提出的原因，比較難令人接受的一點在於研究進行時，並沒有以正常的海豚和自殺海豚進行對此調查。因此，這種說法並無法令所有人信服。

候鳥飛渡的超能力

候鳥飛渡和鳥類回巢的能力，對人類來說眞可以說是一種「特異功能」。

每年都有上百億的候鳥必須進行幾百公里，甚至於幾千公里的飛行。以太平洋附近的信天翁來看，每年一到了冬天，牠們就必須進行幾萬公里的長距離飛行，到了隔年牠們則都能再飛行離原巢相差不到一公尺的地方。然而，爲什麼這些鳥類具有這樣的能力，人類到目前爲止似乎還未能提出肯定的結論。一九五〇年代時，德國的鳥類學家克拉馬先生，曾經提出了一份重大的發現報告。

當他利用白頭翁進行實驗後發現，這些鳥類可以依賴太陽的位置展開飛行。克拉馬將白頭翁關在鳥籠中，然後在南飛季節時，將鳥籠放置在靜止的樹木上，此時，籠中的小鳥便會轉向牠平時應該飛行的方向，在籠中振翅形成一幅好像眞的已經飛翔在空中的姿態。

後來，他將太陽光遮住，利用鏡子來進行實驗，結果發現籠中的白頭翁則朝向反射於鏡子的光線方向振翅。

由此看來，鳥類會隨著鏡中太陽光不同的反射方向來改變飛行的目標。而從克拉馬先生的實驗中也發現，當太陽光被雲遮住時，白頭翁似乎就失去了辨識方向的能力。

鳥類在一天的飛行中會固定的使用一種指引工具，事實上，月亮的位置，紫外線的方向、氣壓、氣味或音波等都是牠們能用來做爲指引的最佳工具。

第二章　秘密的動物世界

雁鳥的行進路線

大菱雁是日本一種極具代表性的雁鳥，在日本和俄國所組成的野鳥研究小組合力調查下發現，這種雁鳥的旅行路線相當固定，都是從庫頁島—北海道—日本海沿岸，最後停留在琵琶湖附近。剛開始在日本第一次進行研究時，只得到「這種鳥來自於北方」的結果，直到和俄國共同進行研究，才出現前述這種具體的成果。

日本民間擁有二五〇成員的「雁鳥保護會」，首先將塑膠製的脖套送至庫頁島，一九八八年七月下旬，在庫頁島西南海岸的濕地上，發現了一二六隻帶有標記脖套的大菱雁，這種脖套寬度爲六·五公分，分爲橙色和紅色兩種，當地的研究人員立即利用望遠鏡讀取這些脖套上所刻的羅馬字母及阿拉伯數字。

該協會在接獲記錄報告後，發現一二六隻雁鳥中，有八八隻在後來逐漸飛向北海道平原及羽多內湖、秋田縣、八郎海岸、新潟縣、福島海及朝日池，石川縣加賀市片野町的鴨池，福井縣的福井平原，最後抵達滋賀縣的琵琶湖。由這些集結地來看，很明顯的令人了解，日本的大菱雁其實是經由庫頁島—北海道—日本海沿岸—琵琶湖的路線來到日本。

自古以來，各地雁鳥的中繼站或終點站雖然都相當明確，但是有關這些鳥類南渡的夥伴和飛行的路線在合作調查進行之前，都仍然只停留在推論的階段。一直到合作調查報告問世，大家才確實瞭解，原來南渡的大菱雁是來自於日本北方的庫頁島。

第二章　秘密的動物世界

候鳥王國——中國的鳥島

中國內地的「鳥島」被認爲是候鳥的王國。鳥島雖然眞的存在中國境內，但是由於地處中國極偏遠的內部，所以有關整個鳥島的實情實在所知有限。

鳥島位於青海湖中，距離海岸線相當的遠。該地距離北京大約有二〇〇〇公里，以火車爲工具必須花三天兩夜的時間才能到達青海的西寧。從西寧向西必須再走一〇〇公里的行程才能抵達青海湖。青海湖是中國境內最大的內陸鹹水湖，湖面東西長一〇〇公里，南北長約六〇公里，整個面積爲四五〇〇平方公里，剛好是日本琵琶湖面積的六倍。

鳥島位於青海湖的西方，雖然名之爲島，但事實上原先只是由湖岸上延展開來，面積不到一平方公里的小沙洲，十年前才因慢慢離開湖岸，在持續乾燥使得湖水下降後，才開始由河川流入的沙土，堆成這個小島的形狀。

在島上，鳥類聚集的地區有兩處，鳥島的中心是一個保護區，所以它被稱「候鳥之島」。從四月下旬一直到七、八月之間，大約會有將近五萬隻以上的候鳥北渡到此。而這些棲息在此的候鳥則大約有三十多種。而其中像是斑頭雁的鳥群，則是從中國南部的雲貴高原和印度北渡而來的。所以這裡可以說是一個名符其實的候鳥王國。

飛越喜馬拉雅山的鳥

鳥到底能飛多高呢？

目前根據雷達測試指出，大多數的鳥都能飛到八〇〇公尺到一〇〇〇公尺的高空中。

而雁鳥大約可以飛上三〇〇〇公尺的高空；鸛鳥則可以飛達七〇〇〇公尺左右的高度位置中。

一九二二年參加喜馬拉雅山登山隊的奧拉斯特博士則親眼看見飛翔在八〇〇〇公尺左右空中的鷲鳥。同時，在七〇〇〇公尺高度附近，他也好幾次都看見了鵪鳥的蹤跡。

在喜馬拉雅山區，雖然有很多人都親眼見過飛翔在相當高度範圍中的鷹類或鶴類動物，但是，目前已知的資料中，鳥類飛行紀錄最高的是一九三六年英國艾貝里斯特登山隊在八二〇〇公尺高度飛翔的黃嘴烏（烏鴉科），不過很可惜，當時並沒有留下照片做為證據。

不過，後來也有攝影成功的例子出現。

那是一九七六年時那斯魯登山隊所完成的。當登山者在攀越馬那魯斯主峰時，正好碰見了成群的黑袖鶴，於是當時他們便立即拍攝下這些鳥類飛翔的精采畫面。

這種鶴鳥大多在歐亞大陸的東北部繁殖，在冬天時，牠們會成群飛到印度等亞洲熱帶地區避寒。不過，在喜馬拉雅山上發現牠們的蹤跡倒是第一次發生的狀況。

第三章　寶藏的祕密

探訪黃金鄉

一九三二年西班牙方濟教派的皮塞洛為了取得黃金，大舉帶軍侵入南美安地斯山脈的印加帝國。皮塞洛在攻擊印加帝國的首都庫斯科後，又陸續的攻陷好幾座城市，因此，使他得到了大量的黃金。

但是，很奇怪的一件事則是在印加帝國的領土中，並沒有大量的金礦礦脈。因此，對當時的征服者來說：「印加帝國的黃金到底從何處而來？」便成了他們百思不解的一個疑問了。

倒是，從前曾經有個西班牙的開墾隊，聽說過一個有關距離印地歐很遠的一個部落傳說。

傳說中，這個部落的國王在山湖呈現祖母綠般清澈時，他的身上便會抖落下滿地的金粉。於是開墾隊的隊長在當時認為「這應該是一個黃金與祖母綠相互輝映的城市」。因此，這位國王便被命名為「黃金之子」。這也使得這個國家成為一個「黃金鄉」。

由於開墾隊的隊員相信確實有黃金鄉存在，於是便展開全力的探險搜索行動。

當時的搜索目標大致分成三個，第一是哥倫比亞馬谷達雷那河的上游，第二是安地斯山地東側的熱帶雨林區，第三則是奧利諾克河的上游地帶。

到了一六五四年，曾經有一位牧師指出他在玻利維亞的內地發現了這個黃金城市，不過當時這座城市早已成為一個廢城，根本看不出半點黃金鄉的面貌。

古代秘魯的黃金寶藏

在印加文明出現之前的古印加時代時，秘魯王國中傳說擁有著令人難以置信的大筆黃金。

許多使用黃金製成的器具，都被收藏在金字塔或墓地之中。一九八六年時從這些金字塔中，挖掘出了以金銀、寶石等裝飾製造出的豪華墳墓。

當時所挖掘出來的黃金面具或是用數千顆寶石做成的胸前護墊，都使得寶石和黃金製品的數量成爲史無前例的記錄，在當時只有埃及法老王的出土寶藏能與之匹敵，而這些都可以稱得上是世界最大的發現。

在這附近，雖然還應該有不少這樣的墓地，但到目前爲止，卻只發現大概六〇座的目標而已。

也許，在尚未被發現的金字塔墓地中，還隱藏著天文數字般的寶藏呢！

所羅門王的寶藏

在所有黃金傳說中，最有名的大概就是以色列的所羅門王寶藏。

根據新約聖經記載，耶路撒冷神殿的內部設有一座長、寬、高都達十公尺左右的本殿，這座本殿的外側和神殿內壁都是用純金打造而成的。而所羅門王以純金製造的祭壇、供台、燭台和其他器物，以及他獻給父親大衛王的各種金、銀器物，也都被收藏在這座神殿之中。

但是，傳說畢竟是傳說，因爲到目前爲止，聖經中所記載的這些寶藏似乎一點也都還沒人眞正看見過。

巴比倫王國、亞美尼亞等王朝，在傳說中似乎都曾遺留下大批的寶藏，但這些寶藏卻都和所羅門王的寶藏一樣，一直還沒有被人們發現。於是當人們對這些寶藏越進行研究時，這些謎就似乎越來越不可解了。

加勒比海的沈船寶藏

打撈美國沈船的哈巴特・韓福利先生，在加勒比海的巴哈馬群島附近，發現了一艘擁有當時時價一六億美元寶藏的沈船，而其中更有著價值五～六百萬美元的金幣、銀幣。

這艘船其實就是一六五六年前往中美洲掠奪金銀財寶，而滿載歸國途中遭遇災難的西班牙帆船馬拉比亞號。韓福利先生在取得巴哈馬政府的許可後，利用特殊裝置進行更進一步的調查，結果又在砂下約一五公尺處，再度挖掘出同一艘船所攜帶五十克拉的鑽石和許多金銀製品。

後來，這些寶藏的百分之二十五歸由巴哈馬政府所有，而其餘的部份則用來設置韓福利博物館，並將所有剩餘的器物收藏在博物館之中。

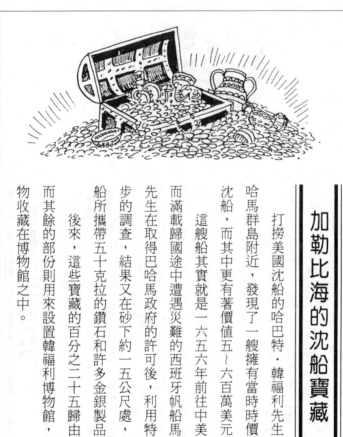

由一枚戒指辨認沈船

專門在美國東北德拉華島附近海域進行打撈工作的打撈船，在這個海域中發現了一艘帶有許多寶藏的沈艦。

從這艘沈艦中，發現了大量的西班牙金幣、英國銀幣，各式各樣的寶石及當時所使用的各種武器，總計一共發現了一三〇〇種的武器。

因此，換句話來說，在沈艦所在的這個海面下二四公尺處，可以說埋藏著價值五億美元的寶藏。

不過，可想而知，擁有這麼多寶藏的沈船，原先也許就是一艘海盜船。

從這艘沈船處所發掘出的一枚戒指中，可以得到證據證明這艘船就是當時曾經襲擊拿破崙聯合艦隊的德・布拉克號。因爲這枚戒指上雕刻著：「一七九八年一月十一日，我四七歲的兄長約翰・德魯落水而亡。」

約翰的弟弟，也就是這枚戒指的主人強姆森・德魯正是德・布拉克號的船長，在他兄長死後五個月時，這艘船在歷史記錄中的確有著沈沒消失的記載留存著。

發現這艘沈船本身當然有著很大的意義，但利用一枚小戒指正確來判斷將近二世紀前所發生的歷史，在機率上來說，大概不會有超過一千萬分之一的機會吧！

麻六甲海峽中擁有寶藏的葡萄牙沈船

在十六世紀初期，掠奪東南亞海洋王國麻六甲王宮，當滿載而歸時，不幸沈沒的葡萄牙大帆船，目前早已從麻六甲海峽的海底深處被挖掘出來了。

沈船所擁有的寶藏包括著大量的黃金、寶石、美術品等稀貴珍品，其總額大概超過一兆日圓。在打撈作業還未正式展開之前，財寶的所有權問題，早已成爲各國虎視眈眈的目標了。

這些財寶是當時葡萄牙的印度總督艾福頓索・阿魯布卡魯卡在一五一一年七月，以十六艘艦隊征服麻六甲王國後，從王宮中所掠奪的戰利品。到了一五一二年，當他要將這些寶藏呈獻給葡萄牙王時，便將所有的財寶放置在艦隊旗艦孚洛魯・德・拉・馬魯號這艘大帆船上，然後離開麻六甲朝向祖國歸航。

財寶的總額根據當時的航海記錄來看，其中記載著「蘇丹王黃金六噸」，以當時蘇丹王所擁有的財富來說，估計大約價值一〇二億日圓。再加上傳說的黃金椅、黃金像、寶石及從皇親國戚中掠奪的貴重金屬、美術品時，整筆寶藏的價值可能高達一兆日圓以上。

但是，船在出港後不久便沈沒了。總督及部份下屬雖然得以獲救返回麻六甲，但是隨著旗艦的沈沒，所有的財寶跟著沈入海底了。

爲了尋找這筆沈沒的寶藏，各國有許多的海洋探險家一直在麻六甲海峽及附近海域中進行調查研究。很幸運的以新加坡爲據點，進行搜尋調查的義大利寶石商賓先迪先生，終於在一九八八年時，在馬來西亞對岸屬印尼領域中的麻六甲海峽內，發現了這艘帶有大量寶藏的沈船。

在賓先迪先生的調查小組成員中，包括著來自澳洲巴斯大學的幾名海洋學者。就是這些學者花了十年的時間，詳細研究各國的古書記載，再利用最新的音響、磁氣探查機等科技產品，才能使這艘沈沒於海底的寶藏船，能再度的出現在人類的面前。

知道納粹寶藏的人

對納粹戰犯來說，現在還有許多未解的謎題存在著。其中，有一名被判死刑的納粹戰犯。艾里非．柯弗則死於一九八六年。

在所有受刑的納粹戰犯中，柯弗的地位是僅次於受終身監禁刑的原納粹副總統魯德魯夫．黑斯。

柯弗原先是現在波蘭領地東普士及蘇俄烏克蘭地區的最高統帥。在戰爭結束前，他雖然逃回德國，但他仍然在一九四九年時被逮捕，到了一九五〇年時被引渡到波蘭。

由於在一九五九年時，他曾經殺害了包含小孩子在內的七萬二千名波蘭人，並將數百萬的波蘭人、俄國人及猶太人強制送進集中營，迫使他們從事勞動工作，就在這些罪名控訴下，他被判決了死刑。

但是，在死刑尚未執行之前，他卻死在距離華沙北方大約二三〇公里一座小村落的拘留所中，結束了他的一生。

柯弗在當時可以算得上是希特勒．德意志最虔誠的崇拜者之一。

在公開發表的文件中，柯弗被捕後沒有馬上執行死刑，主要基於健康狀況不適。但是，一般坊間所流傳的耳語則指出，其實是當時執政者極想由柯弗口中知道納粹寶藏所埋藏的地點，所以才一直未執行死刑。

納粹寶藏中最引人注目的是俄國位於列寧格勒一座皇帝夏季離宮中，用琥珀貼滿超過五十平方公尺房間的這些無法數計的琥珀。

這些琥珀在當時被納粹所有後，便是由柯弗親自坐陣指揮運送與埋藏的工作，所以所有的眞相只有他最淸楚。但是柯弗卻表示：「這是一件足以震撼全歐洲的秘密，所以不管條件有多麼優渥，我所要求的只是停止搜探，讓這個秘密隨著我的死亡而消失吧！」

至於希特勒，他果眞沒有看錯人，因爲他曾經表示過「柯弗有著一對充滿忠誠的雙眼，他絕對不會背叛我」。

豪遊於南美的希特勒心腹

在希特勒的心腹中，被人認爲最兇惡的應該算是目前還生活在南美的約瑟夫·曼格勒。

曼格勒在第二次世界大戰進行時，曾在奧斯威辛集中營中，殺害了四十萬名無辜的人。

他目前除了能自由自在的生活外，他還在巴圭拉與巴西的邊界上，智利的南部二個地方，建造了可以供飛機起降的大房舍。同時，爲了要尋找納粹的殘黨和秘密社團「蜘蛛」的成員，曼格勒還曾經外遊至邁阿密。

爲什麼他能過著如此揮霍的生活呢？其實這些全都拜「納粹的寶藏」所賜。

以南美來說，各國軍事獨裁的情況大概可算是世界之最。而這些國家爲了要強化獨裁政策，於是紛紛想借助舊納粹的財力來達成這個目的。

曼格勒爲了要脫離被人追殺的命運，到目前他仍然驅使許多爲他賣命的殺手，反過來殺害這些想要取他性命的人。在最近十年間，南美已有數十人在這種情況下喪命，其中還包括了一名以色列的婦女。

這名婦女的雙親被曼格勒殺死於奧斯威辛，於是當她在南美看見曼格勒這張四十年來令她無法忘卻的臉龐時，她在那一瞬間露出了極度仇恨的眼光。然而這名婦人在次日就被發現死在屋內了。

從美國ＦＢＩ開始，到世界各國的情報

網似乎都在曼格勒的掌握中，一九七九年時雖然ＦＢＩ已經探知曼格勒的行蹤，但是追捕行動仍然撲了個空。

曼格勒的性命在追捕行動中，價值高達十萬美元以上。

同屬於納粹舊黨的克拉瓦斯・巴魯比在玻利維亞民主化時，被遣回了法國；然而因為曼格勒的存在，南美至今還廣佈著許多納粹餘黨與重要幹部。

希特勒的湖底寶藏

在第二次世界大戰柏林淪陷之前，希特勒派遣了一架飛機朝阿爾卑斯山飛去。聽說這架飛機中載滿了相當數量的黃金及秘密文件。在阿爾卑斯山中，希特勒特別建了一座別墅，當時他準備在此試著進行最後的抵抗。而第一個階段則必須先將大量的黃金及重要的秘密文件運抵這所別墅之中。

但是，人算不如天算，沒想到柏林居然一下子就淪陷了，而希特勒再也無法回到這座別墅中。

而這架飛機，不知道是行程錯誤，還是零件故障，或者是飛行員間發生格鬥，在不知的原因下，這架飛機竟然墜落於艾塔湖湖中。

於是這架飛機就在湖中靜靜的休息了十一年。

一九五五年的秋天，這架飛機終於從湖中被打撈上來了。雖然當潛水夫發現這架墜機時，他們便立即從四五公尺的湖底打撈起這架飛機，然而機中所能發現的只是一整箱的手榴彈而已。沒有任何一個人看見傳說中的那箱黃金。

菲律賓山下大將的寶藏

所有的菲律賓人到現在都仍然相信，在二次大戰時，日本山下奉文大將曾將大筆的「山下寶藏」埋藏在菲律賓境內。所謂「山下寶藏」乃是太平洋戰爭末期，指揮日軍在菲律賓作戰的山下奉文大將，從東南亞各地所搜括而集中於菲律賓的大量金幣、銀幣和寶石等貴重物品。

當日本在戰爭中漸露敗態時，山下大將立即將這一大筆的寶藏埋藏在呂宋島的北部。菲律賓人之所以會確信這一大筆財富眞的存在，其實是與一則黃金佛像的傳言有關。這個傳言發生在一九七一年，當時曾有一名律師控訴「馬可仕總統強取了黃金佛像」。

目前，這名律師的行蹤雖然無人知曉，但根據當時採訪新聞的記者指出，這位律師借由從日本人手中取得的寶藏圖，在呂宋島北部的山中，發現了一尊充滿寶石與鑽石的黃金佛像。但是，在三個月後，這尊佛像就被冠上「國家財產」的名目，而被官方沒收。後來這尊佛像雖然被歸還了，但是已經不是原先發現的那尊佛像。

這位律師在感到惹禍上身時，就立即展開逃亡行動。但是和他一起找到佛像的人，到後來不是死於非命，就是行蹤不明。

中國的「皇家之谷」

陝西省西部乾縣的廣大丘陵地上，有著著名的「皇家之谷」。其中最有名的「乾陵」是一座位於標高一〇五〇公尺，周圍環繞四十公里梁山的陵墓。這座陵墓正是唐朝女皇武則天和夫婿高宗皇帝長眠的處所。

在唐朝，中國皇族總是利用天然山脈來建築陵墓，並且在其中置放大量的財寶，以「厚葬」的方式，讓死者將這些財富一同帶往死後的世界中。在乾縣附近，唐朝十八名皇帝中，有十五名正被「厚葬」於此。這些皇帝往往在生前就已經開始爲自已建造死後的陵墓，而其中最具規模的就是這座乾陵了。與秦始皇的陵墓相比，乾陵的高度是秦始皇陵墓的十一倍，而周圍山際的範圍更高達二十倍。

陵墓在建造時，就已經同時加入防止建造者和盜墓者偷取財寶的攻防設計了。爲了防止建造者監守自盜，在墓內設有能自動發射的弓箭及自動落下的陷阱，有時這些建造者還會全部被封鎖在墓內。另一方面，盜墓者更花上了二代、三代的歲月來挖掘隧道，想要盜取出其中的寶物。

但是，到目前爲止，這座如此顯眼的陵墓，卻仍然使盜墓者徒勞無功，則是一件相當不可思議的事。

關於乾陵的構造，除了文書資料上未曾留下記載外，連坊間口傳的耳語也似乎都未曾出現，正因爲如此，盜墓者勿須花費相當大的精力來進行大範圍的挖掘行動。

雖然如此，但是對盜墓行動挑戰的挖掘者仍然大有人在。

在清代時曾有一項記載的內容指出，曾經有一批盜墓者發現了墓道的入口，但在他們碰觸到入口處的磚瓦時，突然出現了閃電打雷的恐怖景象，而這群盜墓者在受到驚嚇後，便魂不守舍的落荒而逃了。

一九五八年，在中國社會科學院考古研究所的調查行動中，發現了一處類似墓穴通道的入口處。在這個入口地區中卻堆滿了磚瓦，而其隙縫中則充斥著大量的鐵，儼然如同一塊巨大的岩石。因此，當研究人員無法再前進時，只得無功而返。

如果有一天乾陵眞的被挖掘了，那其中所能發現的寶藏與它的歷史價值可能超過埃及的金字塔。因爲在這座陵墓中，必定能發現世界各國與唐朝的大量金銀財寶，很精細的墓誌銘等記錄資料，或是足以傲視世界的藝術品。

但是如果眞的如此，那除了要花費相當大的勞力外，更必須建造一座巨大的設施才能使這些出土物得到妥善的保存。

白川鄉歸雲山的大財寶

在白川鄉的歸雲山附近流傳著一則很有名的傳說。在四千年前，歸雲山前山發生了一場大地震，使得原本的城鎮和衛星城鎮全部陷入地層中，據說當時有超過一五〇〇人及大筆的財富因此被深埋在地底中。

在許多古文書或古代地圖、各種記錄資料中，都可以找到歸雲山在標高一六〇〇多公尺的地方，有著一座名爲歸雲城的城鎮，並且在四千年前還有這個城鎮存在的記載。但是，一提到這個城鎮目前何在時，相信都會令人不知究竟該如何答覆。

由於這座城鎮在當時因強烈的地震山崩，使得這座城鎮陷落消失，所以目前並沒有任何有關歸雲城的具體資料留存下來。如果發現了線索，找到特定的位置而進行挖掘，一般都認爲在此必定能發掘出大批的金銀財寶或是歷史性的文化資產。

被認爲是歸雲城位置所在的地點，並不只有一、二處。但是，在沒有決定性證據出現下，有關特定位置的說法，許多歷史家、作家或城郭研究家都有他們獨特的看法，也因此，以不同角度所完成的著述便出現不勝枚舉的情形。有的書指出陷落的範圍從東邊的山腰一直延伸到西邊，並且指出東邊的部份是主城，而西邊則是衛星城。但是，卻也有某些說法表示主城和衛星城都在歸雲山的西邊。在十多年前，因爲有人推測「埋沒的財寶在當時差不多價值三兆日圓左右」，因此，在當時的確引發了一股挖掘風潮。

人們之所以如此的推測，是因爲歸雲城

陷落前，當時的城主內島過著相當豪華的日子。室町時代時，建造歸雲城的內島，在完成城池之後的一二〇年間便支配著白川鄉與東飛驒山的一部份及越中川上鄉部份。在領域內的五指山可說是一座金山、銀山，在財力及精煉技術下，內島家族便在廣大財富的支持下，得以生存於荒亂的時代之中。

然而，一五八五年一月十八日下午十一點左右，就在一場大地震之後，這座城就這樣被毀滅了，而島內家族也因此消失。

根據金澤大學的研究指出，崩落時土石流動的速度可能大於現今新幹線的行車速度。因此，在土石崩流的那一瞬間，整座城或住宅以及所有犧牲者便都和羅馬龐貝城一樣，就此安靜的長眠於地下。（朝日新聞）

織田信長的黃金館

以前，曾經在岐阜市金華山麓的岐阜公園內，進行著織田信長「黃金館」遺跡的發掘調查工作。

葡萄牙傳教士路易士．孚羅伊斯在他所著的『日本史』中，寫著：「這座建造在大範圍山區的宮殿中，大約有二百間房間都裝飾著大批的繪畫作品和塗金的屛風，而這些塗金的屛風則是沒有混入任何其他金屬的純金。」

但是，根據岐阜市教育委員會所進行的調查結果來看，目前雖然已經發現了這座宮殿建築，但是並沒有在宮殿中發現傳說中的「黃金館」。

織田信長自從在永祿十年打敗齋藤龜興後，便入主了金華山山頂的岐阜城（稻葉山城）。

在所發掘的遺跡中進行山麓平壇地形時，發現在這片面積一五〇平方公尺的地面上，二側都用阻土巨石圍成了一條寬五公尺、長二五公尺的通道。

通路上L形彎曲狀的部份中，最大的巨石高約一六〇公分、寬三公尺，而厚度約有七十公分。

同時，從地層所發現的茶碗及盤皿等磁片，都可以用來證明這些的確是信長時代的遺物。

於是教育委員會更正式的發表「由此可知，信長時代建築的遺跡必定在這附近」的研究報告。

第四章 恐怖的幽靈世界

恐怖的鬼鎮

世界上有許多城市都被稱爲鬼鎮。這些城鎮大多是因爲突發的疾病造成居民全部死亡、搬離、或因礦區閉鎖荒廢而形成的。

美國新英格蘭區的達德利城，在一九世紀初期是一座擁有二所學校與教會，住有數百人的城鎮。

但是在一七七四年時，卻發生了卡達一家六口全部死於霍亂的悲劇。而禍不單行，在同時創立這座城鎮的艾布比魯·達德利則出現了精神錯亂的現象。

接著，在一七九二年時，加修·霍利斯塔則無故慘死於威利艾姆·達那家中，達那因受不了這個打擊，在不久之後便發狂了。

一八〇四年，雪拉芙·史威福特遭擊致死，她的丈夫哈曼·史威福特在接獲這個不幸的消息後，便發瘋了。一八九二年有一名叫做約翰·普洛非的男子來到這座城鎮。但不久之後，他所飼養的羊群卻不見了，而一年後，他的妻子更在不明原因下去世。過了幾個月，他二個兒子也跟著過世。普洛非在遭受這重重打擊後也瘋了。於是，這裡成了一個被死亡與瘋狂所詛咒的城鎮。

達德利城是一六三〇年自英國來至美國的威利艾姆·達德利的子孫所建造的。達德利的曾祖父在一五一〇年時，曾經因爲被懷疑計畫殺英國國王，而被取下首級。

因此，當這座城鎮出現這麼多詭異的事件後，超心理學者羅勃特·艾莉絲·加菲爾認爲，這一切可能與被詛咒的達德利家有關。

第四章　恐怖的幽靈世界

惡魔之家

當住在美國賓州威斯特・匹茲頓的斯馬魯一家人，搬入了一棟改建的二樓公寓時，主人傑克、妻子珍娜以及他的四名子女與雙親，都經歷了令人膽寒的恐怖體驗。

廁所水箱的水不停的流出，沒有啓動的收音機一直發出聲音，整個房子中充滿著衝天的臭味。但是當他們徹底在屋內搜尋一番後，並沒有找到惡臭發出的源頭。有時，家屋內還會不斷出現一些奇怪的現象（靈異類的怪聲）。

怪現象中甚至於出現天花板照明無故落下，差一點擊中傑克女兒的驚險事故。

珍娜被一雙她眼睛所看不見的雙手掐住了脖子，在她感到極度痛苦無助時，她開始唱著祈禱聖歌，這雙無形的手力量才漸漸減弱，珍娜才得以平安無事。

於是，心理感到非常絕望的斯馬魯一家人，便只好向對惡魔學有所研究的威廉夫婦求救。「在拜訪這間屋子幾個鐘頭後，很明顯的可以看出，這是一所被詛咒的房子。因爲房屋內的用品搖搖欲墜，鏡子也掉落在地板上，沒有插上插頭的電視，仍然從螢幕中不斷出現畫面。更嚴重的是房內到處充滿著腐屍的惡臭。」

其實這裡原先是一所曾與惡魔糾鬥了三次，但卻都對惡魔束手無策的教會舊址；於是在一九八七年時，斯馬魯一家人不得不搬離這棟「惡魔之家」。

瑞典的幽靈教會

在瑞典東南部有一所名爲「瑞典教會」的教場。來到這所近海教會的藍德魯福森牧師，在此卻有著一個奇異的生活體驗。

「開始時，書本紛紛從架子上掉落下來，門也一直發出奇怪的聲音，似乎即將要出現很奇怪的事。某一天，在晚上十一時左右，從女兒們的房間中，突然發出了很恐怖的聲響。天花板上似乎有人正用大鐵槌不斷的敲打著，我聽到後馬上跑到她們的房間去。但是，當我打開房門時，這個奇怪的聲音也跟著消失了，而女兒們卻好像什麼都不知道，大家都睡得好好的。」

在一週之後，牧師只要一下樓，門就會一開一閉，而且會吹進了一股淒涼刺骨的寒風。由於發生了這許多奇怪的事，所以牧師一家人不得不馬上搬離這個地方。

在這棟教會中，擔任文書工作的格尼拉・蘭德格雷，也曾經體驗過令人不可思議的事。

有一天早上，當她進入保管教區記錄的房間時，一些每本都有著幾公斤重的記錄資料，紛紛的浮空而且不斷的向她撲打著。

這棟教會傳說在二百年前，曾有一位牧師的太太慘死於此，三次來到這棟建築物探訪的靈媒馬魯姆斯特洛姆則表示：「當那一家人進到這屋子時，就感受到了一股極不愉快的情緒，在這裡的確有著某些『邪惡』的事物存在著。」

蘇格蘭海面的幽靈船

在蘇格蘭北部海面探勘海底油田的工作人員，曾經親眼目睹「幽靈船」。

根據目擊者表示，這艘幽靈船在船身上，有寫著「邦加德號」的字樣。

「邦加德號」據說是在一次世界大戰時，被U型艦擊沈的一艘英國戰艦。而擊沈的地點正是後來在探勘油田的蘇格蘭北部海域。

邦加德號在一九一七年沈沒時，是一艘載有八八〇名乘員的一萬九千噸重的巨艦。

目睹這艘幽靈船的工作人員共有四二人，其中有一人表示：「這是一件任何人都無法相信的事，但事實上看見這艘幽靈船的人並不是只有我一個人。它在每晚十一點的時候就會準時出現，而我們便會聚集在直昇機發射台前，盯著這艘船看。這艘船在離開油田挖掘機不到幾百海哩的地方，以相當高的速度行駛著。但是船在行進時，海面上除了沒有任何波紋外，令人感到最不舒服的，則是在船上根本找不到駕駛的蹤影。也許，它正在尋找擊落它的U型艦而準備展開報復行動。」

這些工作人員雖然用照相機好幾次想拍下這艘船的鏡頭，但是每次照片一洗出來，卻什麼影像也沒有。

在發生了幾次這種奇怪的事件後，這些工作人員都不敢再待在這裡工作，而紛紛逃走了。

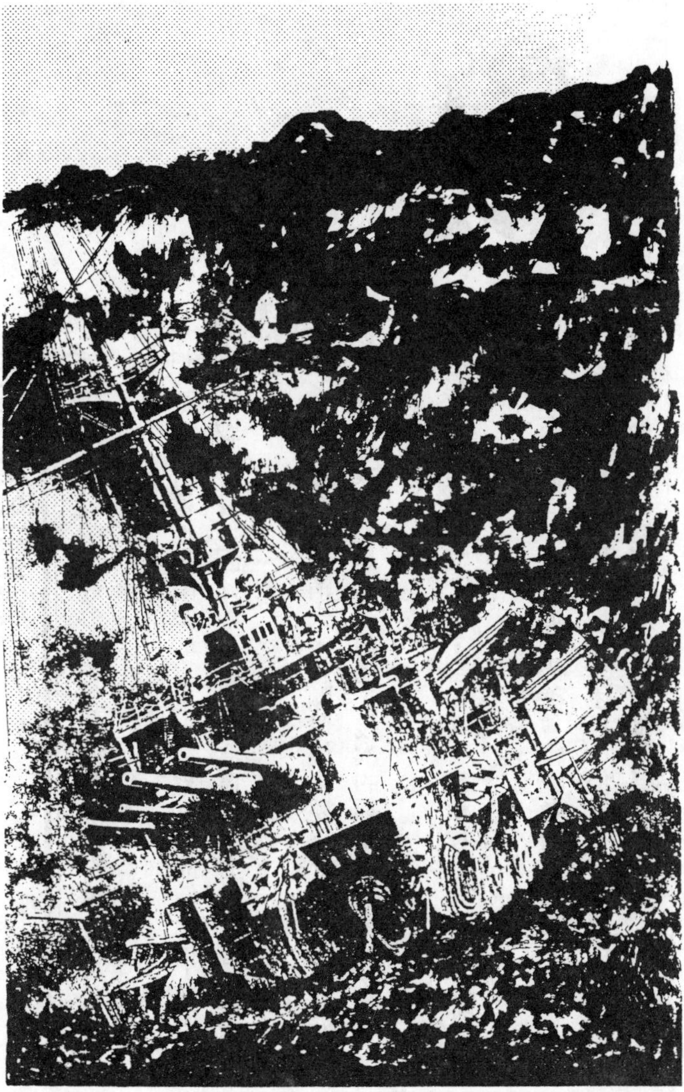

甘迺迪的靈魂

美國歷任總統中，最令人難忘的大概就是約翰·甘迺迪總統了。

但是，從甘迺迪被暗殺的車上，卻經常無故傳出令人感到極度不舒服的呻吟聲，因此，有人便認爲這部車上附有著甘迺迪總統的靈魂。

爲了要使這種現象消失，有關單位便委託卡索利克神父進行驅逐惡魔的儀式。但是，在經過了幾次的驅魔行動後，卻仍然沒有收到任何的效果。

洛杉磯有名的靈媒安娜·吉姆森，卻和甘迺迪的靈魂溝通成功了。

根據安娜表示，甘迺迪的靈魂曾經威脅過外國的ＶＩＰ人物，要求他們不得使美國政府陷於困境。但是，爲了要維護正義，在暗殺犯人拖離法庭前，他仍然會繼續出現。

魔女之島・斯凱伊島

蘇格蘭海面上的斯凱伊島，一直以來都被稱爲「魔女之島」。

在英國海軍服勤了二三年的黛比特・菲基克谷一家人，一同遷移到斯凱伊島上生活。由於他的兒子患有筋骨營養不足的疾病，因此他們認爲遷移至這個空氣淸新的島上，對他兒子的健康狀況應該會有很大的幫助。

但是，當他們一踏入島上的新居時，就發生了非常恐怖的事。不知道是誰惡作劇，竟然在房子的門口放置了人的斷手和頭髮，並且還用樹枝架成「十」字形。「剛開始時，只是對這樣的現象感到非常的不愉快。但是後來卻聽說，這是島上魔女進行詛咒的一個方法。」

而且，島上波拉家的女兒也曾經被一名全身穿著黑衣的老女人襲擊過。這些家庭在無緣無故受到詛咒後，爲了要自保，只得再紛紛的搬離這座魔女之島。

「快樂・色列斯特號」之謎

一八七二年十二月五日，在北大西洋出現了一艘漂流的帆船。發現這艘船的船員和船長，在登上這艘漂流的船上探查時，發現船上連一個人影也沒有。

船舵和幫浦都沒有異常，所以看起來並不像是一船遇難的船。但是，在整艘船中，卻找不到逃生艇的蹤跡。

到底是發生了什麼事，使得整條船的人都用逃生艇逃難了呢？想必他們一定是遇到了非常不尋常的事。因爲在水手的房間中，散落著一地的衣服和長靴，連船員們視如至寶的煙斗和香煙也都被丟棄在地上。

餐廳中的湯匙呈現喝到一半就被放置下來的現象；船長房間中，不但床上相當凌亂，連高價的寶石、海圖與藥罐都撒落一地。相信這些人必定是在極短的時間內棄船而逃的。

這艘漂流在海面的船就是「快樂・色列斯特號」。色列斯特號中最後留存的航海日誌日期是十一月二十四日，日誌上記載著船的位置是在「亞宋雷斯海・撒坦・瑪利亞島西方約二十海哩」上。但是，在整艘船上似乎找不到被海盜襲擊的蹤跡。難道，所有的船員都像泡沫一樣消失了嗎？

快樂・色列斯特號無人駕駛而漂流的消息傳出後，引起了世界相關人士的注目。有人認爲這艘船也許是在突然遭受海怪襲擊後（大章魚或大墨魚），才成爲棄船的。

推理作家肯那．德伊魯曾經以這艘船是因船員衝突而成爲棄船的內容爲題材，進行小說的創作。

人類在進入二十世紀後，科學家提出了因四次元作用，而產生蒸發現象的理論。

一九五五年時，專門研究飛碟的專家喬瑟普教授則認爲這艘船的船員可能全被外星人捉走了。但是，根據現存有關外星飛碟的資料來看，飛碟似乎還沒有發生過出現在海上的報告，所以喬瑟普教授的看法也並不完全合理。

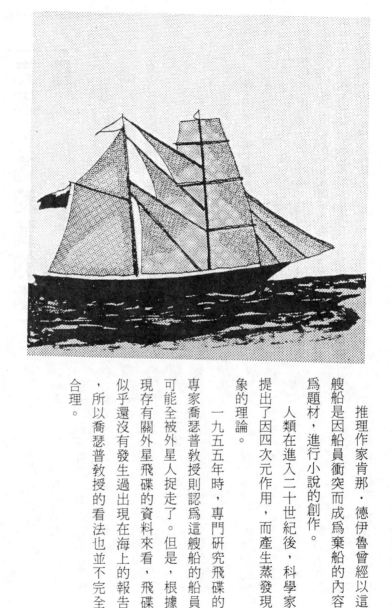

克因・瑪莉號的幽靈

豪華定期客輪「克因・瑪莉號」可以說是「克因・伊莉莎白號」的姊妹船，它是一艘專門航行在大西洋優美航線上的美麗客輪。

這艘巨輪目前停靠在美國加州的長灘海岸上，已經成爲一個觀光客欣賞的目標，然而這艘重達八萬公噸的巨輪，卻與幽靈的傳說有著極大的牽扯。

當日落西山，遊客們紛紛離去，而船上連個人影都沒有的時候，從船艙中經常會傳出一些很奇怪的聲音。

克因・瑪莉號最興盛時，曾經以航行速度最快的姿態榮獲「藍帶獎」，更因此而使它成爲當時最受遊客喜愛的一艘客輪。

這艘客輪一年間的載客量大約爲七十萬人次，白天的觀光客從未有人說看過幽靈，但是住在特別室的遊客則似乎經常有人看見過所謂的幽靈。

特別是有許多人都表示，他們所看見的是溫斯特・柴契爾的靈魂。

柴契爾的靈魂總在目擊者發現的那一瞬間就消失了。

克因・瑪莉號在二次世界大戰期間曾經有過很不愉快的經歷。這艘船在當時曾經用來運送軍事用品，有一次因爲運往澳洲的士兵對船上食物有所不滿，於是便有人攻擊船上的廚師，甚至還有人將廚師活生生的丟進火爐中。這座火爐目前雖然仍在使用，但是

自此之後，在甲板上及引擎室中卻經常出現很奇怪的事。

警衛在幾分鐘前才上了鎖的門，突然間卻自動打開；深夜從船艙中更是傳來一陣陣幫浦運作的聲音。不管做怎樣的檢查或調查，卻仍始終無法找出原因來。

克因・瑪莉號在二三年的航行生涯中，曾經有三五人死於船上，因此許多心靈研究家都一致認爲，這艘船上必定有所謂的靈魂存在著。

性與幽靈的關係

有人指出「幽靈的出現與性之間有著很大的關係」。英國幽靈俱樂部的會長彼得．安達瓦特先生，在與幽靈打了四十年的交道後表示：「人類雖然常說發現幽靈的事，但卻很少有人會說，當他看見幽靈時，他正與異性在進行著性行爲。因此，在許多超現實的報告中，其實有些詳情都被隱藏住了。」

安達瓦特先生主張：「當性行爲發生時，在寢室內或是附近的房間中，最容易出現所謂的幽靈。」

他之所以會提出這樣的論點，主要是因爲他認爲在這個時候是人類氣色出現異常的時間。

「這是一件很沒意義的事。但我仍盡力的進行正確的記錄工作。關於幽靈的出現，有許多重要的因素是不能疏忽的。『幽靈圍堵』的現象經常會發生在思春期前少女身上。但是只要一過了思春期，這種現象便會跟著消失。同時，在沒有性行爲的老年人身上，也會出現幽靈顯像的情況，其實這是這些老年人的性能力在無形中發揮所導致的一種結果。」

尼姑、和尚和修道人士，當然也有人目睹過幽靈。然而造成這種結果出現的原因則是因爲他們所處的這些修道場中，壓抑著過多的「性慾」而吸引著幽靈所致。

當然幽靈出現在教會或其他修道場所中的高頻率現象，絕對不是單純的偶然。

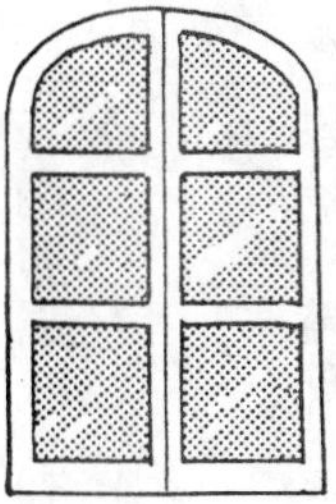

一塵不染的窗戶

在過去四五年間，有一座大屋舍中擁有著從未沾染過灰塵的窗戶。

由於這棟建築物的所有人是查爾斯．史克威普先生，因此這棟建築物便被稱為「史克威普館」。館內的總面積為二萬二千平方英呎，單以寢室來看就有二十間，但是，在史克威普於一九四一年自殺身亡後，經常有人看見他在擦拭著建築物內的窗戶。

最近，位於伊利諾州密西根湖湖畔的這棟佔地二八公畝的建築物，被以五五〇萬美元的價格賣出，而進行著整修的工程。然而在整修工作進行時，卻發生了一件令人無法想像的事：當工程人員將屋內的窗戶好不容易拆下來要進行修復時，在那一瞬間，這些窗戶馬上出現了一層厚厚的灰塵。

於是，周圍的人便開始謠傳著：「平時，史克威普的靈魂都會回來擦拭這裡的窗戶，所以窗戶才能在四五年之間，一直保持得如此的乾淨。」

白宮的幽靈

關於美國白宮的傳說早已多得數都數不完了。

然而，在這些傳說中，最被人津津樂道的則是「白宮幽靈論」。到目前爲止，有許多人都指出曾經在白宮見過所謂的幽靈和不可思議的人影。

許多高官都曾經看過林肯總統的鬼魂，當他們看見時，都有一種像是面臨死亡的震撼出現。

在富蘭克林總統就職期間，來到白宮訪問的澳洲女王就是在白宮停留期間，因爲看見了林肯總統的鬼魂而氣絕身亡的。

一九八八年雷根總統夫婦也在林肯的房間中，看見了他的鬼魂，然而他們所看見的林肯在此時全身卻都散發著紅色和橙色的光輝。

差不多在在同一段時間中，雷根夫婦的愛犬雷克斯，也一直朝著林肯的房間吠叫，但牠卻一步也不敢踏入房中。

在第二八任總統湯馬士·威爾遜就職其間，在白宮曾經出現過，捧著心愛玫瑰的馬迪生總統夫人朵莉的鬼魂。

當然，在白宮所發生的奇異事件，一定還有許多未曾公布於世的記錄存在著。

幽靈名勝・好萊塢

南加州心靈研究協會是一個以科學態度進行超現實現象研究的團體，而其中的查爾士・莫札士更曾進行過數十件鬼屋及靈異現象的調查工作。

他指出好萊塢大樓是一個幽靈最常出現的地方，誠如大家所知的，許多已故明星的住宅，如今都被視爲一間間的鬼屋。

在好萊塢大樓中，有許多人都曾目擊過一名年輕女性的鬼魂。而這名鬼魂通常都會走進位於丘陵下方的庭園內。

據說，這位女鬼是大約在三〇～四〇年前，當她要前往拜訪朋友時，她的丈夫爲了謀奪她的財產，而在她走下丘陵的途中，從背後將她射殺的。

傳說，在溪谷邊某位明星家中，這名女鬼也曾現身表示「誰都不能奪走我的黃金！」聽來這的確是一件令人感到膽戰心驚的恐怖經驗。

被詛咒的「願望寶石」

在華盛頓史密索尼安博物館中，收藏著一顆被稱爲「願望寶石」的奇異珍品。這顆寶石相傳是印度在九世紀時所發現的，當時它的份量高達二七九克拉。據說，寶石發現後，阿拉伯國王曾經表示願意以自己的國家來交換這一顆稀世珍寶。

然而，這顆珍寶在八百年後則被法王路易十四以二五〇萬法郎的高價收買了。當路易十四把這顆寶石切成六四克拉時，寶石竟然展現了一種妖艷的美感，於是他便將寶石命名爲「法國之青」。

但是，在不久之後路易十四便病死了，而曾借用寶石的蒙泰斯邦夫人也跟著發生了不幸。寶石的繼承者路易十六更在法國革命時被送上了斷頭台。

後來，負責分割寶石的研摩師的兒子，在他要販賣寶石時，卻發了瘋。而買了寶石的男子，更因肉塊塞住了喉嚨窒息而死。

一八三〇年取得寶石的英國企業家亞利艾森墜馬而亡；接著再買到這顆寶石的倫敦富豪亨利・霍普，在不久之後也宣佈破產。

一九一一年購得這顆寶石的美國華盛頓報老板馬克林，在取得寶石之後，家中就發生了長子死於車禍，女兒病死的事故，而他本人在經歷這些不幸後也跟著發瘋了。

後來取得寶石的寶石商威斯托雷曾經不信邪的表示「寶石是不會受詛咒的」，但很不幸的，在這之後，他不但連續發生了四次交通意外，到後來更面臨破產的危機。

托雷最後便鄭重的決定將寶石寄存在史密索尼安博物館之中。

由於不幸的事件不斷的發生，於是威斯

確實存在的「吸血鬼」道拉裘拉

在作家布拉姆．史托卡於一八八七年發表了以吸血鬼「道拉裘拉」爲主角的小說後，到目前已經有許多的電影是以這位吸血鬼爲主角，來進行拍攝。

然而史托卡自己則表示他乃是以一個特定人物爲標準，才創造出吸血鬼的。而他所特定的人物則是十五世紀時，活躍於現今羅馬尼亞一帶的烏拉特．德貝修。

德貝修在當時被稱爲「道拉裘拉」，在羅馬尼亞文中，這個字所指的意義就是中國所說的「龍」。因爲在當時，他在羅馬尼亞人心目中，是一位與土耳其人激戰，救國救民的大英雄。但是，他兇殘的性格卻也是大家都知道的。他曾經有著在一次處決行動中，殘殺二萬多人的記錄存在。

同時，他更喜歡在捕獲土耳其軍後，用劍或木棍一次一次的穿刺這些戰俘，使這些戰俘慢慢在經歷了折磨之後才死亡。因此，他更因這種行爲而被認爲是世上最殘忍的「串刺」者。

烏拉特當時所居住的城池目前雖然早已成爲觀光據點，但是他的墓穴究竟在什麼地方，竟然沒有人知道。然而在最近，卻出現了一件跨世紀的發現。

那就是挖掘人員在挖掘某處被懷疑是烏拉特墓地的工程時，卻意外發現在這片土地下有著一條聯絡古城內外的秘密通道。

防範吸血鬼的方法

到底有那些方法可用來防範傳說中的吸血鬼呢？以下筆者約略提出一些傳說中的方法來供大家參考。

①將大蒜掛放在窗前並套一些在脖子上。
②將十字架或是可以反光的金銀製品放在身旁。
③吸血鬼怕鏡子，所以要將鏡子隨身攜帶。
④向教會牧師求取聖水。
⑤因爲吸血鬼怕太陽光，所以必須設置太陽燈。
⑥播放進行死亡彌撒時所用的音樂。
⑦置放聖經。
⑧掛上法術圖，防止吸血鬼進入。
⑨當吸血鬼被木樁刺入心臟而死時，它仍然有可能復活，所以必須用火將它的身體燒成灰，再將這些灰燼撒入河中流散。如果只將這些灰燼撒在土地上，在傳說中，吸血鬼仍可能復活。（取材自佐藤有文監修的「吸血鬼大圖鑑」）

密室中運動的棺材

一八一二年八月發生於加勒比海巴魯巴德斯地下墓室的恐怖事件。當工作人員要將最具權力的湯馬士．邱伊士的棺材放進墓室，拉起墓室上方的大石頭後，很意外的發現，原先墓室中三副棺材中的一副側面向下，另一副置小孩屍骨的棺木更離奇的呈頭部向下倒置的影像。當時工作人員認爲什麼人惡作劇，竟進入墓室來移動這些棺材。

但是，很奇怪的整個墓室中，竟然沒有半點外人進入的跡象。雖然棺木很快就被置放回原位，也跟著貼上封印，在當時立即出現這件事是黑人勞動者所做的傳言。因爲邱伊士在生前對待黑人奴隸相當的殘酷。

四年後，也就是一八一六年九月，當出生十一個月而死的嬰兒棺木要被收進這處墓室時，卻發現墓室中的內門打開著，而整個墓室中出現相當混亂的景象。四副棺村全部翻了過來。甚至其中包括了邱伊士那副加重鉛製成需要八名大男人才搬得動的棺木。雖然如此，工作人員仍將所有棺木置放回原位，然後加上封條後就離開了。

七週後，墓室再度被打開，而其中所有的棺木仍然亂七八糟的翻轉過來。這倒底是誰用了什麼方法辦到的，便成了一個大家心中的疑問。更奇怪的是覆蓋墓室的大理石，上面封條並沒有遭受破壞的跡象。

墓室中三番二次出現奇異現象的事很快就傳遍了整座巴魯巴德斯島。因此，大家都集中焦點注意著下一次的埋葬行動。三年後

，也就是一八一九年七月，當墓室再度被打開時，墓室中的棺材依舊呈現雜亂的景象。於是當墓室要上封條時，除了請來總督作見證外，並且在地板上鋪沙，如果有人再進入必定會留下足跡。等到一切工作就緒後，入口的大理石便再度被重重的蓋上。

八個月之後，當地的人爲了要確認墓室中的情況，便再度打開了這座墓室。這時，雖然封條仍沒被破壞，地板的砂石上也沒有任何足跡，但是棺木的情況仍是亂七八糟。

在這樣不可理解的情形下，總督便趁機下令將其中所放置的棺木移到別處安置。從此以後，這裡便成了一座無一物的墓室。

從島上消失的三個男人

在蘇格蘭本土西方廣大的大西洋海域中，有一座名爲艾林．蒙阿的小島。由於小島乃是這個海域的海上要塞，北英燈塔委員會在一八九九年十二月時，終於排除困難，在島上建立了一座艾林．蒙阿燈塔。

但是一九〇〇年在耶誕節前的十一天，燈塔的燈卻突然熄滅了。當時，負責看守燈塔的三個人分別是：詹姆士．迪卡德，德那魯特．馬加薩，湯馬士．馬歇爾。二天後，因爲海上狀況不佳，所以調查隊無法登入小島上查看。

一九〇〇年耶誕節的次日，天氣終於轉好了，但是當調查隊靠近燈塔發出信號後，竟然收不到任何回應。

燈塔入口處緊緊的關閉著，似乎找不到任何「人氣」。這三個看守燈塔的突然全都不見了。

根據燈台長所記的日誌來看，最後記載的日期是十二月十五日上午九點，當時正是塔燈突然消失的時候。然而塔燈熄滅根本不是因爲燃油不足，因爲在塔內本來就備有許多備用的燈油，況且，檢視並補充燈油是這三名守塔員最根本的例行工作。

在這之後，就發生了幾次不幸的海難事件。當然一般人都認爲這些事故的發生主要是因爲天黑後沒有燈塔指引所致。但是，除了海面狀況造成事故外，十二月十五日那天消失的那三名守塔員究竟何在呢？

第四章　恐怖的幽靈世界

凡爾賽宮的時光隧道

一九〇一年八月十日下午四點，有二名英國女性，在凡爾賽宮內經歷了超越時光的體驗。她們分別是安妮．莫巴里和艾莉諾亞．喬丹。

當時，她們二個人不小心的走進了一條布吉．托里阿諾宮旁的小路中。當時，她們就感覺不太對勁，尤其是安妮，她的心情變得更為沈重，似乎她們正踏上了一條死亡之路。

不久之後，她們看見了一片果園，並且碰見了二個穿著復古綠色大衣，戴著三角帽的二名男人。接著當安妮和艾莉諾亞繼續走來到了一間屋舍前，她們卻看見了二名身穿復古長裙的少女。

不安的情緒越來越重，她們簡直覺得自己好像走入了一座墓場之中。當她們看見一個長得非常難看的男人時，簡直嚇得花容失色。接著，她們看見了一個有著貴族氣息的男人，當她們想向他問路時，這名男子卻突然消失不見了。接著她們所遇到的是一位有著滿頭金髮，戴著白帽穿著白衣的女性。這個女性雖然很美，但感覺上卻冷冰冰的，簡直就像是十八世紀時版畫中所畫的人物。

當她們聽見一陣無禮的叫喝聲，而回頭看見一位像僕人般的年輕人在叫她們時，她們才豁然發現自己竟然站在布吉．托里斯諾宮的正門口。這時，她們心中的那股不安就在那一瞬間消失了，而面前迎接她們的則是

暖暖的夏日陽光。

經歷了這段奇妙體驗的這兩名女子，過了幾年之後又再度造訪凡爾賽宮。她們都想再看看那個奇怪的地方。

但是，不管怎樣找，卻都找不到那些場所。她們認爲她們所見到的那些景象也許是當時某部復古片的拍攝現場。但是，在她們詢問有關單位後，卻發現當時根本沒有任何復古片在此拍攝。

於是，她們兩個人便前往法國境內大大小小的圖書館收集資料，希望能爲自己的疑問提出解答。

最後，在她們的努力下，終於證明她們所看見的建築、所遇見的人都曾確實存在過，只是她們看見這些人事物的時間是在一七八九年八月的某一天。

蘇格蘭的幽靈之旅

英國蘇格蘭的「幽靈之旅」是一個非常受人歡迎的活動。雖然，在活動中並不能眞的看見幽靈，但是由演員做出相當逼眞的演出，仍然使得這個活動受到極度的歡迎。

由於，在蘇格蘭一帶關於幽靈的傳說特別多，所以在進行企畫設計時，就把活動目標放在一般人特別感興趣的幾個傳說上。

由於受歡迎的程度超乎當初的估計，因此，在整個活動中所需要的題材也就更多了。

例如，新拉那克以編織物姿態出現的幽靈，在被焚燒的醫院遺跡中，出現於空中的僧尼幽靈。

在庫渥斯堪古旅館中被士兵凌虐而自殺身亡後，以「灰色貴婦人」姿態，穿著灰色衣物出現的亡靈。

出沒在布雷依德瓦特修道院中，挖掘石岸的修道士亡魂。及目前仍然時時作響的幽靈鐘聲。

再加上徘徊在克萊尼塞城中，一生背負著奇特命運，卻死於悲劇中的無頭蘇格蘭女王的靈魂。

當然，女王出現的克萊尼塞城是一個連狗都絕對不敢進入的城堡，從城堡中時時都會傳出女性悲痛欲絕的哀叫聲。

而以上這種種幽靈傳說，其實都是「幽靈之旅」取材的最佳目標。

第五章

奇人·怪人·不可思議的人

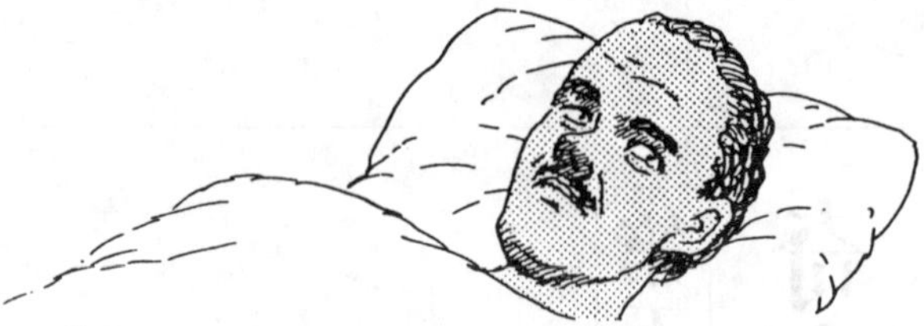

睡不著覺的人

受失眠症困擾的人雖然有很多，但古巴的湯馬士·伊斯卡魯德先生，卻自一九四五年開始，就不曾眞正的睡過覺。

古巴精神科的貝德·加魯西亞·弗雷依塔斯博士雖然爲伊斯卡魯德治療了二十年，但伊斯卡魯德仍然無法成眠。

一九七〇年時，醫學人員已經透過全天二人四小時的觀察，提出伊斯魯德的確無法入睡的科學性證明。

當醫學人員讓伊斯卡魯德躺在床上，並且閉上眼睛後，他們利用腦波計發現，伊斯卡魯德的腦部活動，完全和他清醒的時候一模一樣，甚至於即使讓他服下安眠藥，頂多也只出現最接近睡眠狀態的假寐現象而已。

醫學專家大多認爲伊斯卡魯德之所以會無法入睡，可能是他十三歲時發生腦炎後，睡眠細胞受到破壞所致。

然而，伊斯卡魯德本人則認爲，這種狀態可能源自於他進行扁桃腺摘除手術時，所產生的一種後遺症。

和雷相遇的人

我們經常會聽說那個地方容易被雷電打到，或是那些人常被雷電電到。

但根據「吉尼斯事典」的記錄來看，塞利邦先生則是最常遭受雷擊的人。

住在美國維吉尼亞州的塞利邦先生，曾經在一九四二年、一九六九年、一九七〇年及一九七二年遭遇過四次的雷擊。

雖然，塞利邦自此以後，便在車上隨時準備了五加侖的水備用著，但他仍又在一九七三年、一九七六年及一九七七年再度被雷擊中。然而，他前前後後雖遇到七次的雷擊，但仍然生活得好好的。

不過，自從「吉尼斯事典」刊載了這項記錄後，發行者吉尼斯一家人，則在創刊後二三年的一九七八年，不知道是不是受到了什麼詛咒，連續的發生了不幸。

在短短的四個月中，吉尼斯一家中，竟然有四個人分別死於意外事故之中。

沒有大腦皮質的秀才

「人類的腦可以說是世界中，尚未被發掘的一個神秘場所。」在人類的腦中，科學家一直認爲替人類進行記憶或思考的最重要部份，應該算是大腦皮質；但在根據英國一本專業科學雜誌《科學》的報導指出，在英國出現了一位沒有大腦皮質的大學生。

這名大學生除了過著和一般人相同的生活外，更由於他的智能指數超過一二〇，而曾獲頒「數學大獎」的榮譽。

發現這位沒有大腦皮質大學生的過程，說起來眞是非常的偶然。由於他的智商高，因此，醫師們認爲有必要以X光線CT掃描來檢查他的頭腦，但是，當醫生一看見檢查結果後，卻受到了前所未有的震撼。

這位大學生在小時候，曾經罹患過腦部空隙間腦脊髓液過多的「水頭症」。當時被脊髓液壓迫的大腦皮質，正處於發展階段，但是因爲受壓迫卻使它無法發展，相反的卻越來越薄，到最後甚至於完全消失了。

不過，由於這個轉變是慢慢發生的，所以大腦皮質本來擔負的機能也就慢慢的轉由小腦等腦部組織來取代，因此，這名大學生的精神活動並沒有產生任何的障礙。

腦的各個部份都擔負著特定的功能。腦部萬一因事故或生病而使某一部份機能損傷時，這種機能就永遠不會再回復了。

在正常狀況下，一個成年人如果失去了大腦皮質，那必定會是一件很嚴重的事。然

而，這位大學生大腦皮質所擔負的機能卻能　由其他部位來取代，眞可以說是一項奇蹟。

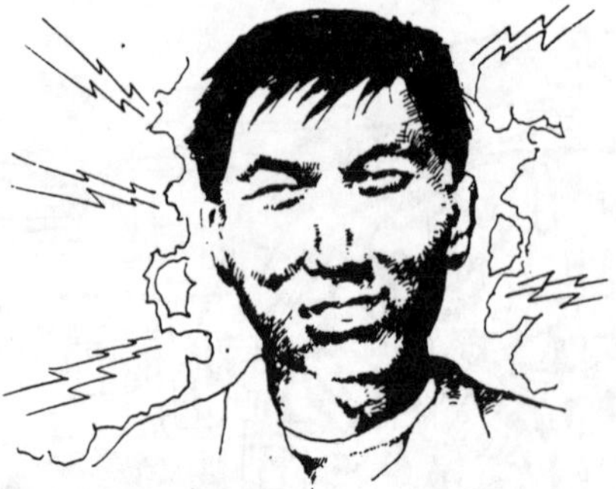

恐怖的帶電人

中國有所謂的「帶電人」存在著。

這位身上帶有強力電源的中國人名叫徐得寶，從他的指尖可以發出七五〇伏特的強電。因此，包括他的妻子在內，任何人都不能碰觸他。

他的主治醫師張志生醫師，從幾年前開始發覺他的體內有一股不可思議的力量。剛開始的時候，是有一次他的妻子不小心碰到他的手指頭，沒想到竟然造成了全身的燒傷。他妻子回憶說：「當時的感覺就好像進入了一張通上電的電網一樣。」從此以後，她每天都擔心著會不會不注意下又去碰到他，而使自己喪命。

雖然根據目前科學上的研究，人類的神經系統的確可以產生強力的電流。但，仍然令人感到不解的是，爲什麼在人類身上會發生因爲電量過多而致死的高電壓現象呢？

體溫四五度的高溫人

人類的正常體溫大約在攝氏三六度左右，但是目前卻發現了一個體溫異常高的少女。

住在波蘭南部的尤安娜是一名十三歲的女孩子。然而她卻擁有著可以使杯子浮空，並且在集中意念下可以使火柴不經手而點燃的特異功能。

當她的父母發現了這個現象之後，曾經有許多當地科學家對她進行了某些超心理學的測驗。結果眞的證明了這名少女的確可以憑藉著意志力來使木製或金屬製的器具產生運動現象。

更令人感到訝異的卻是她的體溫竟然高達攝氏四五度。當醫師在替尤安娜測量心電圖時，機器的螢幕玻璃突然全都破碎了，而且指針也劇烈的搖晃著。所有的醫師都認爲尤安娜的體內可以散發出一種干擾重力的能源，但是對於爲什麼會出現這種能源，大家卻都說不出個所以然來。

以意志力點火的人

義大利有一位名叫貝內迪特．史匹諾的男子，他有著能以意志力將火點燃的特異功能。有一次，當他前往牙科診所看病，而在等候室看著漫畫時，竟然發生了一件相當奇特的事。

「以前，雖然我也曾到牙科診所中，一次拔了四顆智齒。但事情發生時，則是當我想到那次痛苦的經驗後，我的手突然間卻發起了一陣寒顫，就在那一瞬間，我拿在手上正在看的那本漫畫，竟然莫名其妙的燃燒了起來。」

這樣的類似事件也曾發生在一名女性身上，有一次當這名女性和她丈夫發生爭吵後，她丈夫的身體卻燒了起來。她的丈夫在身體著火後，雖然馬上在地上打了好幾滾，但是仍然在幾分鐘內就被燒死了。另外有一個羅貝斯家族的人，也具有著這種奇異的能力，每次只要家中有人發生爭吵，他們家中的器具比如窗帘或餐桌等都會出現燃燒的現象。這種能力其實就是所謂的「意志力放火」，具有這種能力的人，往往有無意識狀態中，會因爲害怕或憤怒等激烈的情緒而引發或大或小的火災。

梵蒂岡公認的驅魔者

梵蒂岡可以說是基督教的大總部。在這裡有梵蒂岡教廷正式承認的驅魔者存在著。

在義大利羅馬傳教的艾馬尼艾魯·米林谷神父，曾經因驅除了許多邪魔，而拯救了許多陷於痛苦之中的人。

據說，米林谷神父到目前爲止，已經爲超過一百人成功的驅除過邪魔了。

神父驅魔時所使用的工具是混入了油和鹽後的聖水。這種聖水是運用聖藥的力量所製成的，是一種打擊邪魔的最佳工具，不管是多麼頑強的惡魔，據說在使用聖水後的六個小時內，都可以被驅退。

正因神父具有如此的能力，因此對他絕對信賴，而向他求救的信徒也有如過江之鯽，多得使他也忙不過來了。

調查礦脈的尤利・凱拉

被認爲最具超能力的人，應該算是尤利・凱拉。他最有名的一項成就，就是能讓湯匙彎曲而被世界所認同。

目前，凱拉正在從事著探查礦脈的工作。當然，他在工作時，可以使用他的超能力來探尋煤礦和金礦的礦脈。

一九八三年時，凱拉曾和某家日本公司訂定在巴西找尋金礦礦脈的契約。最後達成協議的契約有效期是六年，第一次雇方必須付給他一百萬美元現金，在工作完成後再追加一百萬美元。

凱拉究竟是利用什麼方法來尋找礦脈呢？關於這個問題，他本人曾經發表過如下的談話。

「當我要運用『遠隔感知』時，我必須要長時間的售中注意力，在找尋試掘地點前，我至少要對著地圖不斷的研究一天又二小時。在記熟了地圖中主要的地形後，則必須再飛到它的上空進行更徹底的了解。我會定期的使用地圖來進行礦脈的占卜工作，當然，在進行占測時，我是以赤手空拳來取代任何道具的，我總是會利用手掌或手指頭來靜待地圖上的那一個部位能讓我感到磁力作用。有時，這種磁力反應會出現得很快，但也有可能根本沒出現。但是，在最後時我總會在特定的區域中找到波紋，並且用鉛筆做上記號。接著，我會花上幾天或幾週的時間來檢視這些記號，然後確認自己的感覺是否有所改變。如果確認無誤時，我的自信便會大大增加，並且會在這個區域做好標記，再從空中用手來做占測。直到最後找到『符合感覺』的地點後，還會再先做一英寸的刻度來仔細的檢討。如果感覺得不到確認時，我的搜尋工作便會持續進行下去。直到找到極強的印象或是眞的感受到該處沒有礦脈存在爲止。」

印度聖人薩伊巴巴

印度聖人薩伊巴巴曾經創造出許多的奇蹟。由於他像耶穌基督一樣能創造出許多的奇蹟，因此印度人都把他視爲神的化身。

他從小時候開始就連一口肉也不吃，可以說是一個完整的素食主義者。

研究家高藤聰一郎先生認爲薩伊巴巴所創造出的奇蹟可以分爲三類。

首先，他可以在任何東西都沒有的場合中，讓他們所想要的東西隨心的出現，而這並不是所謂的意志移動，而是確確實實獨自出現的能力。比如，他能變出麵包或食物送給飢餓的人，能變出金錢送給窮困的人，還能在口中唸著「威布迪」字樣的咒語，使久病的人身體轉好。

第二則是薩伊巴巴可以超越時空，讓自己浮在空中，或是同時出現在二個不同的場合中。

第三是他能夠讓人們看見帶著各種不同光芒的夢幻景象，除了光輝燦爛的光球或是來回轉動的火球外，他還可以在所處的空間中，以三次元的光景使大家看見人類的各種姿態（比如，薩伊巴巴自己過去的樣子）。

在薩伊巴巴所創造的奇蹟中，最被人津津樂道的大概是他將洪水趕走的神話吧！

有一年，薩伊巴巴所住的城鎮下了一場豪雨，接著就湧入了大量的洪水，來勢洶洶的淹沒了回教寺院。這時候很多人便趕緊向薩伊巴巴求救。

這時，薩伊巴巴拿著手杖站在門口，然

後大喊了一聲「水！停止吧！」

說也奇怪，就在他說完話的那一瞬間，這些洪水就有如電視電影的慢動作一樣，不但馬上靜止了，而且往後漸漸退去。

還有一次是清眞寺的爐火太強，燃燒上了天花板，這時聽到大家驚慌失措聲音的薩伊巴巴，趕緊來到火爐旁邊，接著用他的手杖打著牆壁，並且在口中唸著：「火！停止吧！」

眞的是無法令人相信的事發生了，這些熊熊的烈火在他以手杖敲打牆壁的那一瞬間，不但馬上變小了，而且還自動的回到爐中，靜靜的燃燒著。

雙胞胎的奇特感覺

目前在世界上已經有許多報告指出，雙胞胎有著所謂的心電感應和相同的奇妙感覺。

芭芭拉·哈巴特和達弗妮·格德西普是一九三九年出生於倫敦的一對雙胞胎姊妹。但是，在她們出生後，一個被公園的園丁夫婦收養，而另一個則被收養在生活富裕的冶金學者夫婦家中。

在芭芭拉二十歲時，知道自己有一個雙胞胎姊妹。從此以後，她就發誓一定要找到自己的姊妹，一九八〇年時，她終於找到了自己的姊妹。

很不可思議的事在她們見面時紛紛的出現了。首先是她們二人見面時，都穿著火黃色的連身洋裝加上一件茶色的絲絨上衣。

接著，她們二個人的丈夫都是各自在十六歲時，認識於舞會之中的。

當她們彼此訴說著自己所走過的歲月時，更令人驚訝的事也就越來越多了。

比如，她們兩個人所懷的第一胎都流產了，目前她們各自擁有二個兒子和一個女兒。她們曾在相同的時間中，買過同一本書。而她們所喜愛的書或喜愛的作家也都一樣。

還有一次，也就是在她們十五歲的那一年，都發生過從樓梯上摔下的意外，從那時候開始，她們的膝蓋便經常隱隱作痛。

一出生就被分開扶養的這對同卵雙胞胎姊妹，在經過四十年後見面時，竟然發現彼此間有如此多的相同點，這的確是一種令人感到相當費解的現象。

能窺視過去的超能力畫家

黛安．哈莫尼是世界上相當有名的一位超能力畫家。因爲她可以爲人們畫出上一輩子的肖像。

她以前曾經在迪斯奈樂園替人畫像，也曾經畫過商業美術之類的彩色腊筆畫。對於自己擁有超能力的這個現象，住在洛杉磯的她，曾經做過如下的表示。

現在的自己其實是過去的自己的一種反映。藉著研究過去，可以使自己更加了解以前的自己是一個什麼樣的人，而自己現在所表現的行爲又在自己的進化生活中，扮演著一個什麼樣的角色與任務。

她主張一旦人能了解「因果報應」中的長處和缺失時，那在人現在的靈性進化中，必定具有極大的作用。

根據黛安表示，有許多來請她探訪前世的人，在知道了過去之後，都會受到很大的震撼。他們會很清楚的了解爲什麼會對友人或是近親懷抱著愛恨情仇，因爲這一切的情感都根源於來自前世的因果。

當然有些人前世性別和這一世並不相同。在出現這種狀況時，女性大多比較不以爲意，但有許多男性則因此而找到了許多自己生活或事業問題的癥結所在。

黛安曾經以這個現象爲主題，舉出了一個例來供大家參考。這個例子中的主角是一位單身而且相當內向害羞的男性。他不太能和別人親近，甚至於當別人靠近他的時候，

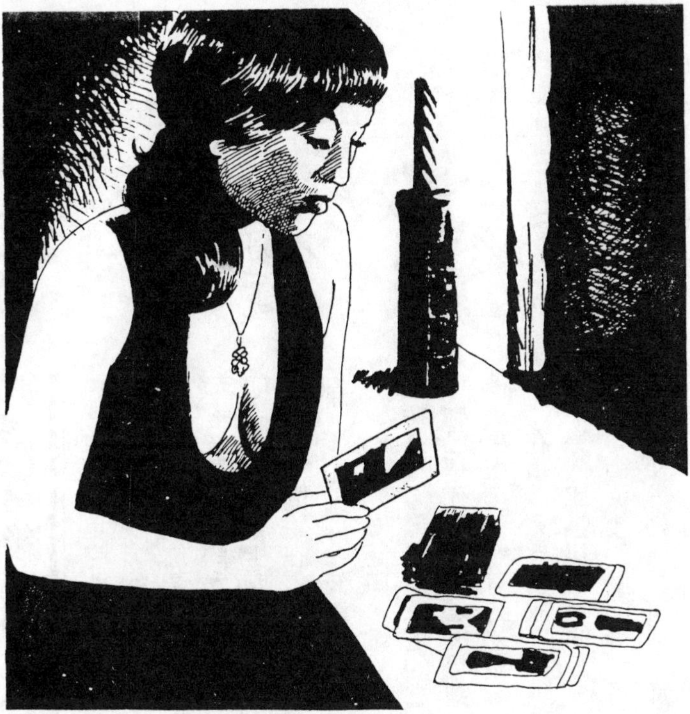

他的身體就會自動避開。

黛安發現這名男性的前世是一個十九世紀初，住在愛爾蘭的一名女子。這名女子有三個子女，但是卻過著飢寒交迫的苦日子。

由於她的小孩都患有小兒痲痺症，於是一個個就在她的眼前死去。最後，這名女子也就在傷心絕望下離開了人世。

黛安把這個情形原原本本的告訴了這名男性後，又建議他儘可能去從事接近小孩的工作。很幸運的，這名男性在接受了黛安的建議後，現在他已經能和別人相處得很好並且過著很幸福的日子了。

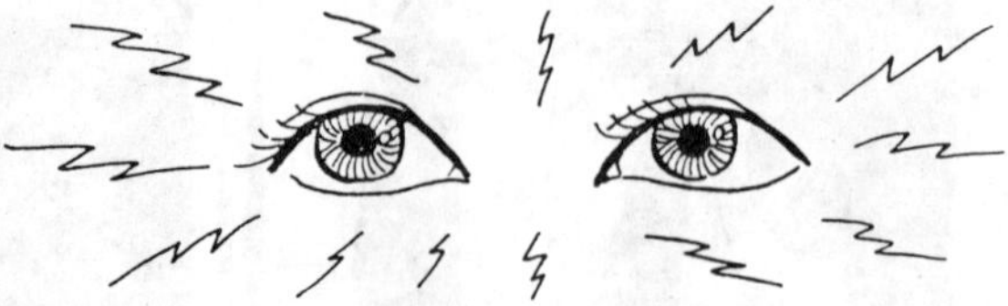

感電後透視人類的女性

在蘇聯烏克蘭共和國內，有一名女性具有著不是利用催眠透視法，而只看一眼，就能爲人們身上的疾病做出正確診斷的特異功能。

曾經有一位記者爲了證實這個傳聞，便專程來拜訪這位名叫尤莉亞．波羅比瓦的女性，當尤莉亞第一眼看見這位記者時，馬上就說出了這位記者早上吃了那些食物。如果有人在她所居住的城市中，向任何一個人問說在這個地方誰是最好的醫生時，大家都會異口同聲的回答——尤莉亞．波羅比瓦。

一九八七年時，她曾經在附近的碳礦材料倉庫中，發生被三八〇伏特高壓電電擊而感電的意外事故。在事故發生後，所有的醫生都認爲她已經死了，但是沒想到，二天之後她卻恢復了生機，而在二星期後，更恢復了所有的意識。

在這件意外事故之後，她便得到了「透視」的特異功能了。

德內庫醫科大學的L．達拉內克教授解釋說：「尤莉亞在接受強力電力衝擊後，腦部得到了一種能感應體內放射出的紅外線的能力，所以才使得她能具有透視別人的特異功能。」

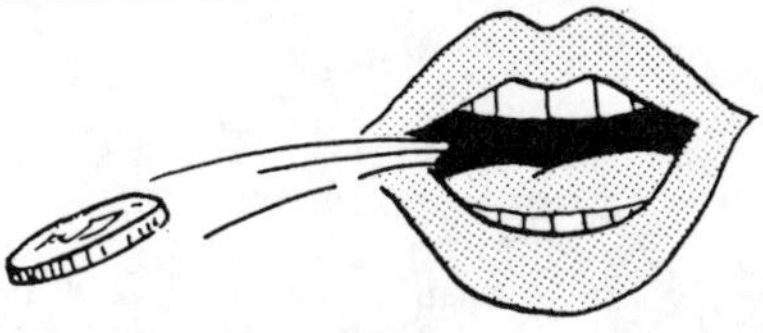

存在喉中十二年的硬幣

瑪莉亞．赫夫達曼夫人，在一九七二年，也就是她十三歲的那一年，和家人一起從英國移居到澳洲的坎培拉。但是沒多久她卻罹患了喉頭炎，而更嚴重的是在發病六個星期後，她再也發不出聲了。雖然醫師也曾利用放射線來替她檢查，但是卻都沒有異常現象出現。由於找不到眞正的原因，所以醫師也就放棄了診治行動。

十二年後有一天，瑪莉亞卻突然出現咳嗽現象，一會兒從她的喉間卻咳出了一個紅黑色的肉塊。而這個肉塊中竟然是一塊硬幣。

瑪莉亞在驚嚇之餘，趕緊跑到醫院進行調查。結果她終於找出了使她發不出聲的原因。原來是瑪莉亞在十二年的聖誕夜時，曾經吃下一個她母親所做的布丁，而她母親在製作布丁時，依照傳統習慣把一個三便士的硬幣放在其中。換句話說，瑪莉亞當時便在不知情的情況下，吞下了布丁中的硬幣。

當初進行檢查的醫生，在檢視放射線照片時忽略了這個部份，所以一直找不出失聲的原因。在十二年後這個謎終於解開了，就是這個硬幣被吞下時，在偶然的狀態下，以水平的姿勢卡在聲帶中央，於是使得瑪莉亞在十二年之間，一直無法發出聲音。

吸引金屬的女人

一九八三年時，住在巴西的蘿拉．瑪莉亞．德．斯塞夫人（三二歲），曾經因右手小指頭突然疼痛，而到醫院治療檢查。

醫院的弗塞．莫拉伊斯．塞雷斯基醫師，從蘿拉的X光片中，看見了一個二．五公釐大小的金屬物。於是，他馬上替蘿拉完成了一個很成功的手術，從她的手指間拿出了一個有如針頭大小的金屬異物。

但是，在十一天之後，蘿拉手指卻又出現同樣疼痛的現象。根據調查，她的手指頭中又出現了針狀的異物。醫師雖然再度替她進行了手術，但這次醫師的心中卻懷疑：「難道是她自己把異物刺進去的嗎？」但是，蘿拉的皮膚上卻沒有任何穿進東西的孔穴。

在第二次手術之後，蘿拉又出現了好幾次的相同狀況，也因此她成了醫院中的常客。不過，蘿拉卻因此被認爲有精神病，而被送往精神病院，接受二四小時的監視管制。

五天之後，蘿拉再度出現手指頭疼痛的症狀，當醫師再以X光線診察後，卻發現她的右手中竟然刺入了一根針。

後來，有一次蘿拉又因「右手疼痛」來到醫院，這次的X光照片卻照出了她的右手中有一個螺絲。爲了要取出這個螺絲，醫師便馬上替她進行手術。但是，當手術刀劃開她的皮膚後，卻找不到螺絲的蹤跡。奇怪的是，就在這個時候，蘿拉的血壓低降，而且也出見了胃痙攣的現象。接下來從她的口中卻吐出了五根螺絲。

痲醉師和當場的醫師在事後都擔保著表示，在手術時蘿拉的口中並沒有藏著任何的螺絲。

對於這個現代醫學所無法說明的現象，基督教的超心理學者認爲這因爲蘿拉曾經受過伏都教咒語詛咒所致。因爲蘿拉在年輕時，曾經參加過伏都教的儀式，並且在當時也被施展了「黑魔術」。

因雪崩而被冷凍的男人

在世界上每年都會發生許多雪崩的意外事故。

馬契恩．威魯茲在一九六二年也就是他二六歲時，曾經在攀登法義邊境的阿爾卑斯山時，遇上了雪崩。當時雖然沒有找到他的遺體，但是所有的人都認爲他必死無疑。

但是後來來到阿爾卑斯山同一地點的登山隊員，卻在結凍的冰塊中發了馬契恩。科學家吉姆在得到這個消息後，便馬上將這個內有馬契恩的冰塊運往尼斯近郊的醫學研究所中。

「剛開始時，我們所有人都不認爲馬契恩還活著，因爲那根本就是不可能發生的事。由於他的身體並沒有任何的外傷，所以在當時只覺得可以用他來做爲一個相當珍貴的標本，因此吉姆才會趕緊將他運回研究所。」

研究所的皮耶魯．旦茲姆博士當時的說法就是這樣。但是，當研究人員很謹愼的從冰塊中取出馬契恩的身體時，卻意外的發現，他雖然表現著死亡狀態，但卻還活著，換句話說，這時的馬契恩其實是一個冷凍人。

醫師群在此時便開始對他使用最新的輸血技術。首先，將馬契恩體內的血液完全抽出，然後再將血液加熱，重新注回體內。

當輸血工作進行之後，馬契恩開始出現了生命現象，他的腦部也開始出現活動狀況。將體內血液加熱再注回體內的技術，大多

運用在動物身上，不過蘇俄的醫生也曾對人施行這種技術。也因此，在當時，這群研究所的醫師才會想到把馬契恩當成一個負傷者，而對他進行這種手術措施。

現在，馬契恩雖已五一歲了，但是他看起來卻仍然和二六歲時一模一樣。他的弟弟哈曼·威魯茲（四八歲）則希望研究群能繼續進行復活計畫的研究。

「這就像是搭乘時光機器旅行一樣。每當我看見哥哥的外貌，我就會想起他登山之前的種種……。這似乎眞的是一個相當大的奇蹟。」

只是馬契恩所有的生命機能是不是眞的都復原了呢？在科學上，研究人員似乎還不敢對這個問題下定論。

非洲的野生姊妹

人類學者克拉烏斯・佛恩・吉凱魯博士和他的妻子生物學博士凱安塔・福恩・吉凱魯兩個人，在非洲發現了電影「泰山」中的雙胞胎姊妹。由於他們兩個人聽說在中非，有一個原始部落，將一對半獸半人的雙胞胎視爲神來崇拜的傳說，所以他們二人才會深入這個原始部落展開探查的工作。

他們在剛開始時，認爲這對半獸半人的雙胞胎，可能是猿猴之類的動物突變而形成的。「但是這對雙胞胎竟然是一對由猩猩撫養長大的金髮姊妹。」

據推測這對雙胞胎大概是六歲，雖然她們的體型比較瘦小，但是二個人卻都很健康。她們對人類相當害怕，而且會和崇拜她們的原住民小孩有所距離；但是她們二人卻都和小猩猩玩在一起，並且還會依偎在母猩猩身上撒嬌。

目前，這對雙胞胎姊妹已經受到科學家及醫學家等專業人士仔細的保護。當她們離開猩猩群時，曾經好幾天滴水未進；後來直到研究人員找來猩猩和她們玩耍後，她們才放棄誓死抵抗的念頭。但是，到目前爲止，研究群中只有里亞・托雷斯醫師可以利用呻吟聲和簡單的動作來和這對雙胞胎溝通。

這對姊妹也許是比利時人到非洲拓荒時，遇到了惡賊襲擊後，因父母雙亡而流落叢林之中的，但是，這對雙胞胎究竟如何能在猩猩群中生存下來，則是一個尚未有解的謎題。

第六章
百思不解的世界

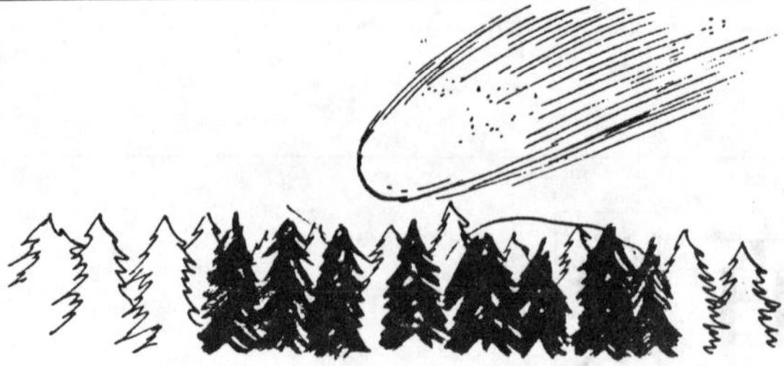

西伯利亞大隕石之謎

一九〇八年六月，西伯利亞森林地帶，通古斯河附近，發生了很大的變異。當天際產生一陣強烈的光芒時，天空中有一個高速飛行的物體出現，後來，又發生了一次大爆炸。與大爆炸同時形成的大火柱上升之後，成了一道蕈狀雲。當時處於爆炸地點中的人，在爆炸發生時，他們耳朵的鼓膜都被震破了。而爆炸的巨響更傳到了八十公里外的地方。

在接下來的三天中，倫敦和巴黎也都出現在晚上不用點燈就能看報紙的發光現象。

在爆炸地點二千平方公里範圍內的樹木全部倒塌，但是卻沒有任何隕石類物品落下的痕跡。

蘇俄隕石學會認定，這是一次「隕石在空中爆炸」的事件。蘇俄的物理學者認爲這次爆炸所產生的能量是廣島原子彈爆炸時的二千倍以上，所以它應該是一種核分裂而引發的核爆現象。因此這些物理學家並不認爲爆炸事件是隕石或小彗星所引發的。到底這是怎麼回事呢？到目前爲止它仍是一個謎。

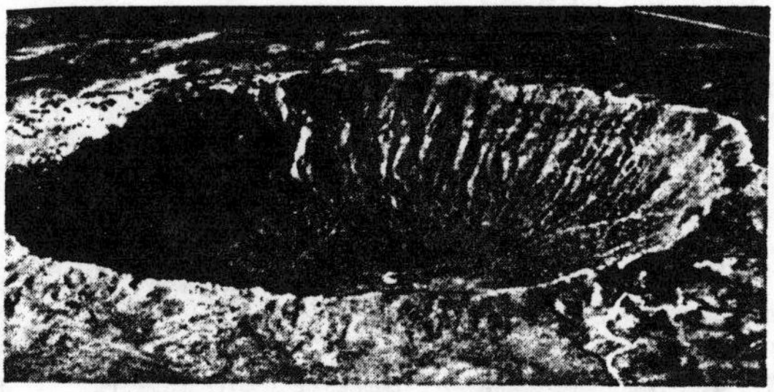

隕石消失在何處

美國亞利桑那沙漠中，有一個被統稱爲亞利桑那隕石孔的孔穴。那是一個大隕石碰擊地球而留下的痕跡。據調查這個隕石孔大致形成於五萬年～二萬五千年前，由於並沒有遭到雨水或動物的破壞，所以至今仍然保存著很完整的形狀。

有人曾經出錢買下了這個隕石孔。

採礦師巴林傑就認爲在這個隕石孔底部，必定蘊藏著大量的鐵礦。

巴林傑他就想要去挖掘這些鐵礦來販售。然而，在進行已經二十年的探勘活動中，並沒有發現任何的鐵礦。隕石孔底下只是一些砂岩和石灰岩而已。

一直令人無法釋懷的是：造成這個直徑長達一二〇〇公尺巨大洞穴的那個隕石，究竟在那裡呢？

那斯加平原上的畫

那斯加平原上的那一幅大畫，是本世紀地球上最大的一個謎。這幅畫是由民間飛行員在高空中所發現的，雖然這幅畫的形成，根據推斷已經有好幾千年的歷史了，但它似乎仍然保持著原來的形狀。

這幅畫的表面稍微有一點風化的現象，但是由於它所處的環境是在年雨量極少、風土特別乾燥的地區中，所以整幅畫的形狀似乎沒有受到破壞。圖形的線和平面，是用十公分左右的黑褐色石頭所掘成的，所以露出了白色的黃土，而使得整個圖形相當的清楚。

從空中一看，這個畫面除了以直線或曲線做成幾何圖形外，也還有鳥、魚、蜥蜴等動物圖案。但是令人感到訝異的是，在以直線所組成的幾何圖形中，有的部份長度竟然長達十公里以上。同時，在動物圖案方面，竟然也出現高度達到三百公尺的巨大圖形。

其中更奇妙的是，這些動物畫竟然全部都是用一筆直接畫成的。

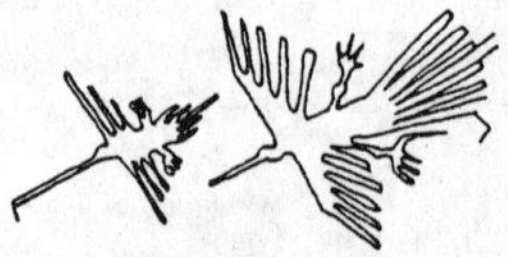

地上的蛇形畫

以地上畫來說，南美秘魯那斯加高原的畫是最有名的，但是在北美也有很多地方有著這類的巨大圖形。

尤其是美國俄亥俄州南部有著一個很大的蛇形山丘的動物形土壘。從上空來看，一眼就能看見這個蛇形畫，但是如果只站在地面上看，那只會看見一片稍微隆起的土地而已。

這幅蛇形圖中，隱身於森林中的蛇長，大概有三八二公尺，而蛇身體寬大約有六公尺。

雖然如此，這塊土地高起的部份大概只有一公尺。即使沿著蛇形圖的邊緣走，也很難對整個蛇形留下印象。因此，這幅圖究竟是天然形成的呢？還是人工造成的？實在是不得而知。

當然，目前在這塊土地附近由於已經搭建了一個觀察塔，所以我們都能自塔上向下望，來欣賞這一幅地面上的巨大圖形。

但是，由於平坦的地面和這塊稍微隆起的高地都被同類的草覆蓋著，因此必須靠著光、影等角度的變化，才能清楚的看見這個圖形。換句話說，可以看見蛇形圖的時間其實是有限的。

曾經有人認為，這也許是一種利用纖維來實現微妙世界之美的一種遺跡。但是，不管這是誰的傑作，這個創作者必是一個具有獨特美感的人（「北美先史巨石文明之謎」並木伸一郎）。

羅德斯島的巨形阿波羅像

「阿波羅巨像」是古代世界七大奇觀之一，目前這個肖像究竟在何處，則早已成了一個無解的謎了。

但是，在希臘羅德斯島的海底卻發現了看起來像是這座肖像某部份的石塊。

這個發現是一九八五年時，澳洲的超能力者達恩克巴以透視法指出「在羅德斯島燈塔的海底，有著阿波羅巨像的一部份殘骸」後，才挖掘出來的。

在歷史的記載中，巨大的阿波羅像當初的確是出現在羅德斯島的附近。因此，在達恩克巴提出了透視結果後，希臘政府便開始進行巨像的探查。結果，眞的從羅德斯島的海底，拖吊起了一個類似人類左拳的石塊。

這個石塊長約一．八公尺，寬約九十公分，而厚度大約有八五公分。不過也有人認爲這個石塊是仿製品，所以這塊石塊到底是不是阿波羅巨像的一部份，至今仍是一個謎。

環狀巨石柱是古代的天文台嗎？

希臘索爾茲伯里平原上被稱爲「環狀巨石柱」的石柱群，乃是先史時代的巨石建造物。這個建造物中，最引人注意的是中心部份的環狀列石。這些環狀列石是以巨大的直立石，水平並排而成的，高度約爲七公尺，而最重要的石柱大約有五十公噸重。

這個環狀巨石柱所使用的造石技術相當細心巧妙，在直立石和並列石方面，爲了防止石塊橫滑，便在石柱上刻鑿了許多孔穴。由於並列石也以溝槽和突起的部份相連接，所以這些巨石在經過了四千年歲月的摧殘後，現在依然還能屹立不搖。

然而這些環狀巨石柱究竟有什麼作用呢？一般說來，有很多人都認爲這應該是古代的一個天文觀測所。希臘的天文學家傑拉魯德・弗金茲曾經以巨石柱構造上相當重要的連結直線究竟具有什麼樣的天文學意義進行調查。在分析方面則借重一二〇線的電腦來進行處理。結果發現，有某些石柱總是會以特定方向軸姿態出現。而這些方向軸總是能正確的和太陽、月亮的極限位置相對應。

第六章　百思不解的世界

地下大都市之謎

土耳其的安那德利亞有著一座創造於紀元前數千年而令人難以置信的地下都市。

在這個被稱爲卡巴德基亞的秘境中，有一座很大的地下都市。這個地下都市從地下八樓到地下十六樓，都設有適合居住的空調設備，並且還有可以抵擋攻擊的防禦系統。

在卡巴德基亞中，像這樣的地底都市，大大小小加起來大約有四百個，目前應該還有爲數不少的地下都市還未被發掘出來。

但是，很不可思議的是，這些已發現的地下都市座，都有著相通的秘密通道。在這個地底下數百座，甚至於數千座的地下都市，都以地下道相連接，使得這片地域儼然成爲一個地下帝國。

每一座地下都市的人口，大約有六萬人～十萬人。同時，卡巴德基亞在十一世紀後半，曾經創立出一千個以上的宗教，使它以高文化姿態誇飾於世。

在安那德利亞中，雖然擁有許多在人類歷史上已經成謎的古代遺跡，但是這些遺跡則大多集中在這片地下都市之中。

從赫梯帝國的遺跡來看，可以發現許多金、銀、銅、青銅、鐵、合金等金屬古物，而這些古物的創造技術卻不亞於現代的先進科技。

雖然安那德利亞可以算是金屬文明的故鄉，但是，爲什麼這種古代的超金屬文明，會出現在這片荒涼的高原上，則是一個令人無法理解的謎。

奇怪的藻海

以奇怪的海來看，一直以來大西洋的藻海總被認爲是一座很恐怖的海域。這片藻海位於美國佛羅里達半島和巴哈馬群島東側的溫暖海域上，由於在這裡聚集了無數的海藻，而這些海藻經常會被捲入船隻的螺旋器中，因此對於航行船隻造成相當大的困擾。

因此，在帆船時代時，很多航行者經過這裡一次後，就不再來第二次，使得這片藻海成爲大西洋航海者放棄航行的一個海域。

藻海附近由於被北赤道海流、墨西哥灣流包圍著，所以使得這裡成爲一個藻類叢生的區域。但是，這些浮游的海藻雖不是由海底長出來的，但是在它發芽後，便邊漂浮邊繁殖，並且不會漂流到別的海域中。

雖然從哥倫布時開始，大家就都相信進入這個奇怪海域中的船隻，總會被這些海藻所纏繞，但是，當船員們看見這片佈滿海藻的青色海域時，其實都會覺得這裡的海底似乎存有著一隻令人感到相當恐怖的大怪魔存在著。

玻利維亞的鹽湖

位於南美洲中央部位的玻利維亞，是安底斯山脈中的一個內陸國。但是儘管玻利維亞並不臨海，但它所需的用鹽卻也不虞匱乏。

因爲在玻利維亞所在的安底斯山脈中，有一個被稱爲烏優尼的鹽湖大鹽原。由於這個鹽原和日本瀨戶內海差不多一樣大，所以它可以說擁有著相當完整的鹽層。大家可以在這裡取得大大小小的鹽塊。

很久以前，這裡是一片海洋。後來地殼變動使地面隆起，形成了山脈；而原先的海在兩邊隆起後，便被包圍在中間，而成了湖。經過了一段時間，湖水慢慢蒸發，成了濃度很高的鹹水湖，在這之後，鹹水湖才又漸漸的轉變成目前的鹽原。

在持續下雨的降雨期中，山脈中所含的大量鹽份，會隨著雨水流到湖中；在雨季過後，湖水再度受到乾水期太陽的強烈照射，使得水份又再度蒸發，而又留下了滿湖的鹽塊。

空中都市哈加拉

哈加拉是一座令人讚嘆的空中都市。這座引起東京在新宿區建立超高層大樓靈感的空中都市，乃是位於北葉門的一座山城。

北葉門的村落大多座落於山上或大岩山中，而哈加拉這座空中都市卻是以相當精密的標準設建而成的。

這座城的人口約有一萬人，但是它卻只有一個入口。當入口封閉時，外界便絕對無法進入。而且城中的道路都像是一個迷陣，每碰到一個轉彎後，眼前馬上會出現好幾條的接路，而令人不知究竟要往那裡走。

這個都市，雖然是以高層建築物爲主體，但這些高層建築物卻都是建造在岩石上的土台。也就是在天然的大岩石上堆積石塊，然後再疊上層層的階梯。

在日本，通常都會在塊狀的屏障摻入鋼筋，但是這座空中都市中的屏障，都只是很簡單以在岩石上堆積石塊，來建造六、七層的大樓。在這種狀況下，大家當然會想到「如果發生地震該怎麼辦？」

一九八二年，在這附近另一座山岳都市——達馬魯，就是因爲發生地震，重量很重的岩石自下層開始崩毀，而造成二七〇〇人的互傷悲劇。雖然如此，但北葉門的人並不認爲這次的悲劇是建築上的問題，他們卻深深的相信，這一次的事故乃是「神對人間惡事的一種懲罰」。

第六章　百思不解的世界

謎樣的國度

在佛教出現之前，西藏地區的土著宗教相當興盛，而在西藏土著宗教的經典中，畫著一幅地圖，那是一幅相當不可思議的國度圖。包含波斯、巴比倫、猶太、埃及在內，都曾經出現有關理想國度「聖巴拉」的記載。同時，這個有關「聖巴拉」的記載也曾經被記錄在西藏佛教的最高經典中。

雖然經典中有這樣的記載，但是西藏人認爲幾乎沒有幾個人能踏進這個理想國度中，因爲除了有緣份的少數幾個人外，別人是不被允許進入其中的。

釋迦牟尼佛就是少數能進入聖巴拉的一個人，由此可見，這個理想國度所歡迎的人，應該都是一些聖人或眞正尊貴的人。

這個神聖王國的傳承並不是只在西藏或印度，據說在古時候也包含著中國。以「聖巴拉」命名的理想國並不只出現在亞洲；在歐洲也有同樣的名稱出現，這引起了許多探險家探訪的慾求。換句話說，現在已經有很多探險家，已經把探訪傳說中的理想國當成探險的目標。

理想國的入口在那裡

研究聖巴拉理想國度的美國學者明利耶魯·德利魯博士認爲理想國的入口，應該是在西藏首府拉薩的地底下。

從拉薩往下一二〇公里的地下空間前進，可以看見一個三次元空間中所發生的歪斜景觀。這個空間和地面上的狀況不一樣，它可以說是一個振動的八音度世界，似乎周圍地殼的變動都與這個空間沒有關連。在很早以前，也就是喜馬拉雅山脈尚未隆起之前，這個空間應該是一個地面上的空間。

許多探險家都曾經表示這個巨大的地底世界是的確存在的，而在世界各地也都開鑿出了可以直通聖巴拉的穴道。

例如，肯德基州的洞穴據說就是通往聖巴拉的通路。同時，美國喀斯喀特山脈南方夏斯塔山的巨大地下通廊，也被視爲是一條通往理想國的道路。

西藏的喇嘛曾經表示，地球裡側相當於南美的位置上，有著廣大的洞窟，在這裡似乎曾經興建過許多巨大的地下都市。

此外，蘇俄高加索地區，亞塞拜然等地都有著很深的水井，而這些深井往下延伸，都被認爲有著很長的通道可以接通伊朗、中國、西藏、蒙古等地，使這些地區成爲一個巨大的系統。

波塔拉宮殿
崑崙山山脈
聖谷
（聖巴拉）
天山山脈
戈壁沙漠
地底湖
聖巴拉

世界的洞窟傳說

自古以來，世界各地就常常流傳著許多有關洞穴的傳說。其中最有名的則是厄瓜多爾的地下隧道。

一九六五年學者尤安．莫利克斯曾經指出，在厄瓜多爾和秘魯之間有著一條長達幾千公里的地下隧道相互連接。在這個隧道的內部有著一個很巨大的空間，在這個空間中，除了有用純金塑造的動物像外，還有許多以金屬製成的書冊。很可惜的是這些書冊中的記載，全都是一些無法解讀的符號，也許這就是一種失落的文明吧！

同時，從事這個洞窟調查工作之一的宇宙考古學者艾利菲．戴尼肯指出，似乎可以利用熱線鑽孔器或是電子光線槍來挖掘這條地下隧道。

此外，世界上還有許多謎樣的隧道存在著。而其中比較有名的一條隧道是「吉布拉魯塔魯通廊」。義大利古代文明研究家彼得．柯洛西蒙表示，在西班牙及西北非．摩洛哥的海底的確存在著這樣一條非常長的地下通道。

這條連絡西班牙和摩洛哥的地下通道，據說全長約有四八公里，是一條通過界於大西洋和地中海的直布羅陀海峽地底的通道。

地球空洞說

通常大家都認爲地球的內部是由好幾層熟蛋般的地層所組成的，在這些組成地層的岩質層下方，則有著很厚的內壁或內核。不過，同樣的卻有人提出相反的見解，這些持相反見解的人認爲地球的內部呈空心狀態，甚至於可能可使人類生活在其中，這就是所謂的「地球空洞說」。

比如，有人認爲外星飛碟來到地球時，就是以地球的內部爲基地，再從被視爲出口處的兩極地帶離開。

這種「地球空洞說」乃是一八一八年美軍上尉J．C．西姆尼斯所提出的主張。

根據西姆尼斯的主張來說，他認爲地球就如同一個紙球般，中間是空的所以人類應該可以在裡面生存。地球的兩極就是出入口，從兩極往地球內部走，可以到達這個「空洞世界」。日本大學教授金森誠也指出：「自從焦耳．威魯奴認爲地球內部除了是一個空洞空間外，更是一個空曠的地底世界，這種想法出現後，已經使它成爲許多科幻小說的主題，如果威魯奴有知，能做爲「地底旅行」的出發點可以說是「山」。而這座山可能就是美國華盛頓州的列尼亞山。」

一九七〇年美國學術探險隊，在列尼亞山進行火山活動的調查工作時，在被雪覆蓋的火山口附近，發現了一條通往地底的穴道。當探險隊員進入穴道後，發現這是一條傾斜度急驟下降的通道，越往下走溫度越高。至於這條通道的盡頭是不是一個廣大的空間，以及這座山是否和空洞說有所關連則是一個至今尚且無法提出解答的謎題。

第六章　百思不解的世界

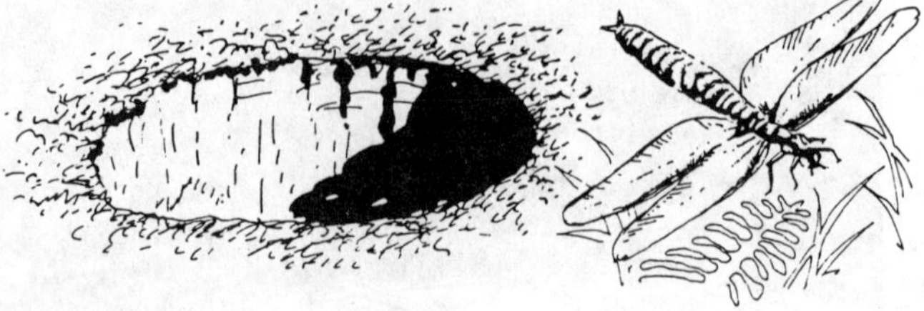

亞馬遜河的大洞穴

在亞馬遜河流域有一個像是通往地獄的洞穴。

這個直徑約三六〇公尺，深度達四千公尺的洞穴，給人們一種相當詭異的感覺。這個洞穴位在從委內瑞拉首都加拉卡斯開始東南方向約八百公里的沙利尼馬台地中央，在洞穴中目前已經發現了大約生長在一億五千萬年前，也就是株羅紀時代的羊齒類植物，還同時發現了大約三億年前類似原始蜻蜓的昆蟲。

當往穴底降下時，即使非常小心也相當危險，因爲整個穴壁乃是以垂直的狀態急遽下降的，這個洞穴的底部可以說是一片未知的「叢林」。

這個洞穴底部的確是誰都無法預知會發生什麼危險的恐怖「叢林」。同時，由於誰也不知道在洞穴中有什麼生物，因此它也應該是一個相當原始的世界。只是令大家最感到無法理解的一點是：這個洞穴中並沒有任何積水現象，但是洞穴中的水究竟流到何處去呢？這也許是這個洞穴所存在的另一個謎。

改變面貌的畫像

百慕達三角洲時常會出現很神秘的事。

在許多神秘事件中，遊艇中年輕女性的畫像，在經過十五天後，竟然會變成一幅醜陋老太婆的畫像，則是一件大家較常聽說的傳聞。

這幅畫像的主人，同時也是這艘遊艇的所有人，乃是一名二七歲的女性，這位女性爲了這件奇怪的事，整個精神瀕臨崩潰，最後她被送進了療養醫院接受治療。

這艘遊艇乃是從法國馬賽出發，準備駛往里斯本、亞索雷斯島進行三個月的假期旅遊，所以才會航向百慕達。

怪畫是女主人的丈夫請當地一位畫家畫來要當作獻給妻子的一份生日禮物。畫完成時，遊艇正駛向波多黎各。

奇怪的事在這幅畫完成的第三天時發生了，這一天，畫家發現，畫中的肖像原本烏黑的的秀髮，竟然摻雜著一些灰色的毛髮。

同時，像大理石一樣光滑的肌膚也出現了皺紋，在這個轉變的影響下，畫中肖像豐滿的雙唇也變得相當薄弱。

二七歲的女性似乎在畫中完全變成了一個五十歲的老太婆。雖然她的丈夫安慰她說：「這是受到海潮作用所產生的變化。」但是，畫中的女性依然一天比一天衰老。

又過了十二天後，畫中肖像的牙齒脫落了，滿臉都佈滿了皺紋，而原本一頭烏黑的秀髮，在此時已經成了稀疏雜亂的散髮了。

美國新月形惡魔迴廊

比百慕達三角洲還令人感到恐怖的，大概得算是美國的「惡魔迴廊」吧！

所謂的「惡魔迴廊」乃是指從美洲大陸太平洋岸，加洲北部開始，經過奧勒岡、華盛頓二州，到加拿大的這一片巨大新月形地帶。而在「惡魔迴廊」中包括了自古以來就被視為聖地的加州夏士塔山及受到外星飛碟騷擾的華盛頓列尼亞山。

最令人感到奇怪的該算是美國軍機在列尼亞山所發生的墜機事件吧！在這個事件中，共有五名海軍兵士犧牲，但是，這次的出事地點竟然和四十年前美國海軍C四六運輸機墜落，造成三二人死亡的現場幾乎是在同一個地點。除了墜機空難事件外，在這個地方也相繼發生海難事故。三名住在西雅圖的漁夫，某天乘著遊艇出海，準備前往華盛頓州西北部附近的海灣時，竟然失蹤了，但是當天卻是一個天氣晴朗，風平浪靜的好日子。他們三個人究竟遇到了什麼事，已經成了一個永遠的謎了。同時，沿岸警備部隊的直昇機，曾經在海岸上發現威利艾姆·耶斯塔布魯克這位漁夫的遊艇。當時警備人員覺得，遊艇可能有些故障才會漂浮在海邊，但是甲板上卻散落著滿地的工具，而這艘遊艇內外都找不到威利艾姆的蹤影。

在惡魔迴廊中，已經連續發生了很多飛機或船隻消失的怪事，而其中更有數百人因此而行蹤不明。

美國加州成謎的三角地帶

住在美國加州門羅哥·巴列別墅的澳洲籍夫婦歐蘭特·匹塔夫婦，有一天在天快亮時，被一陣敲著後門的聲音吵醒。他們看見一位穿著非常落伍的老人站在前面。這個老人自稱是迷路而正在尋找著正確的方向。

這位奇怪的老人看起來似乎已經很老了，他口中喃喃自語的說：「進來的路是這條，回去的路是那一條呢?不早一點找到，我可就回不去了。」說著說著，他卻往還沒開闢的一片荒地走去，然後在山谷的中間說：「啊!找到了!」結果，他往前踏了一步之後，一下子就不見人影了。

其實這個地區經常出現人們突然失蹤的事件。在靠近尤加別墅的道路上，就曾經發生行進間的野營車突然間消失無蹤的怪事。

在這部野營車後方，有二部車子的駕駛員都表示，車子在他們眼前眞的好像是被鬼怪捉住了一樣，突然消失得無影無蹤。這個常發生奇怪事件的地方乃是在洛杉磯東方一五〇公里左右的一片面積大約二千平方公里的高原區，這裡就是被稱爲傑修亞·得利，國際紀念地的一個觀光據點。

這個地帶其實是一個由巴姆斯普林克斯，傑修亞·得利及尤加·巴列三個城市所組成的一個倒三角形地區。因此，它也被別稱爲「傑修亞三角區」。事實上這個三角區自很久以前開始，就因爲經常發生很不可思議的現象而受到格外的注目。

三角區內的怪現象

傑修亞三角區除了前述的怪異現象經常出現外，還有很多令人無法理解的事件不斷發生。

一九八七年一月，有一部載著四個人的野營車，看見了一片奇怪的光芒。車中有人說：「再接近一點看看。」於是便將車子開進了彎曲的道路中。

當他們追逐著光芒來到一座距離平地大約有五百～六百公尺的小山丘上時，卻看見了一個眼光閃著奇妙光芒的怪異生物。

從外形來看，這個生物長得很像機器人。但是，這一個人卻都無法碰觸到這個生物。當天漸漸變亮之後，這個怪物卻一下子就消失不見了。由此看來，在傑修亞三角區所發生的怪事，似乎都無法提出很清楚的解釋。

以前，像這樣怪異的地區，總被認爲是人類與另一個空間的出入口，而因此被稱爲「次元斷層」。

換句話說，在這裡異形生物從別的世界中走進這個入口，來到我們的世界；而也從出口大門離開人類的世界。

婆羅州發現的外星人頭骨

富蘭茲·布魯巴魯迪博士最近在比利時安特衛浦舉行的專題研究會中，語出驚人的表示，他已經取得了幾百年前造訪地球的外星人頭骨遺骸。

取得外星人頭骨時，其實是婆羅州內地的獵首族群。而博士本人只是在參觀部落中各種頭部的狩獵遺物時，在無意中察覺這個異於地球生物的頭骨。這個外星人的皮膚呈綠色，周圍長滿了鱗片。耳朵很尖長，而且眼睛異常大，看起來根本就不像是地球上的生物。

在酋長的同意下，布魯巴魯迪博士帶回了這個頭骨，和他的朋友莫里斯·吉姆雷特博士一起進行詳細的分析研究。根據電腦解析的結果顯示，這個頭骨內的眼球大約有六公分左右。而且從頭蓋骨的大小或形狀來推斷，這種外星人極可能有二個腦。也許這個外星人是在想和人類接觸時，被原始部落殺害而留下頭骨的。但這畢竟只是推斷而已，至於眞相如何，可就不得而知了。

烏拉魯山脈洞穴中的外星人

一九八四年春天，在烏拉魯山山腳探採石碳礦脈的工作人員，發現了一個地下洞穴。

當考古學家來到此地調查時，發現這裡只不過是一個地下空間的入口而已，當深入其中後，則發現這是一個以很多洞穴橫向連結而成的空間，工作人員在到處挖掘後，經過了六個月才抵達洞穴的深處，而在洞穴深處居然發現了一個世紀的大奧秘。

洞穴的穴壁上，描畫著四架飛行在沼澤上的銀色飛行物，並且都塗上了相當鮮艷的色彩。

在空間的中央部位，豎立著七根高度約有一二〇公分的黑金屬圓筒。

蘇俄科學家在調查圓筒周圍的岩石後表示，這些圓筒大約是在二五萬年前被置放在此地的。但是，圓筒製造時所使用的金屬，卻不是地球上的物質。

最令人感到不可思議的是在圓筒中，竟然完整的保存了一個身長大約一公尺左右的外星人遺骸。這個外星人的頭非常大，脖子很長，不過手腳卻很短。

也許，這個外星人是在還沒有達成來到地球的目的前就死亡了，所以牠的同伴才將牠安葬在這裡。

但是，目前這具外星人屍體已經由俄國有關單位進行更深入的研究，所以有什麼樣的結果還未被公開發表。

第六章　百思不解的世界

具有驚人能力的腦化石

有很多人表示，許多散失的北京人骨頭，目前已經紛紛被用來當作漢藥使用。因為據傳言指出，在中國北方所挖掘出來的腦部化石，在讓重病人服用後，竟然可以挽救生命垂危的人，具有相當令人驚訝的療效。

一般認為腦化石中所存有的這種特異能力，乃是從這些五千年前化石周圍的水晶中散發出來的。

曾經有一個患了十年潰瘍症而被認為快要死亡的病人，在服下了腦化石周圍的水晶後，竟然在一夜之間所有的疾病都治癒了。

有一個騎腳踏車而發生意外的五歲德國女孩佛莉塔．卡魯斯魯特，在意外發生後，雙腿就無法走路了，但在化石的治療下，這個女孩卻恢復了行走的能力。另外，有一位中國工匠李韓清原本無法看見東西的雙眼，竟然也在服用腦化石水晶物質後，奇蹟似的恢復了視力。

在崑崙山脈發現腦化石，並且帶回比利時布魯塞爾研究的考古學者曼弗烈特．托爾指出如下的證言。

「古人的腦袋成了一種化石狀態。在經過許多年後，化石的周遭開始形成了許多水晶片。然而當這幾片水晶片贈給一些人當作藥品時，竟然收到了相當神奇的效果。第一次，我的一個私人助手在服下水晶片而治癒潰瘍時，我只覺得那是一種巧合。但事實上，我卻又陸陸續續接到了許多以水晶片治癒宿疾的報告。」

雖然有很多人向托爾博士索求這種具有魔法的水晶化石，但由於數量有限因此造成了供應不足的遺憾。

當然目前所有來研究中心造訪的科學家，仍然無法解釋究竟為什麼這種腦化石所產生的水晶片會具有這種神秘的力量。

亞瑟王的劍

亞瑟是西元六世紀時，希臘最有名的一位君主。在歷史上許多騎士故事中，圓桌武士探查尋找聖林的題材，更是大家耳熟能詳的一段精采內容。

有位美國科學家在亞瑟王的墳墓中探查了五年，而公開做成如下的發表內容。

這座墓穴的地點是在威爾斯山的地下。雖然墓穴中有城堆如山的金銀財寶，但是其中最珍貴的則是一具像是亞瑟王的遺骨。

在寶物中發現銀杯的瓊斯博士，對於圓桌武士探求聖杯的說法相當確信。如果這個銀杯眞的是基督最後晚餐中所用的聖杯時，那這可就是考古學上一個驚人的發現了。

不過，在墓穴中最令人感到不可思議的是遺骨上所抱持在胸前的劍。如果這具遺骨眞的是亞瑟王的話，那這把劍想必就是傳說中最負盛名的那把魔劍了。

當冶金學者對這把劍進行研究後，很驚訝的表示在經過了一四〇〇年之後，劍上非但沒有任何的鐵鏽，而且還有著令人無法想象的硬度。這把劍的硬度甚至比日本的武士刀還來得堅硬。

由於這種硬度只有在三千度以上的加熱狀態中才能鑄成，所以冶金學者認為這不太可能是地球人所鑄成的，而應該是一種能利用太陽能並且能相當接近太陽的生物所鑄造而成的。

印地安法比族的秘密

住在美國西南部猶他、亞利桑那、新墨西哥、科羅拉多四州交界地的印地安法比族中，流傳著一個神秘的傳說。據說在法比族中有一個具有二千年以上歷史的石板，這個石板上記著未來世界即將會發生的事，因此這塊石板就是傳說中的「法比預言」。

在這塊石板上曾經暗示著世界上會出現第一次、第二次世界大戰，並且軍隊還會在長崎、廣島投下原子彈。

在這個石板中，另外有一個預言是這樣記述的：「法比族所居住的這片土地是一塊聖地，在人們想結束『淨化時代』之前，千萬不要挖掘這片土地。」

正如預言所指，法比族所居住的地方除了碳礦、油礦外，更是鈾礦的最大產地。

在完全安全利用這些地下資源的技術還未被研究出來之前，這些地下資源是不能進行開採工程的。

菲律賓獵首族

距離菲律賓首都馬尼拉九十公里處，散落著一群獵首族原始住民。據美國史坦弗特大學人類學家洛塞魯特博士表示，伊洛谷德族（約三五〇〇人）的人民，在碰到與近親死別的場合時，會有著獵取人類腦袋，再將腦袋丟棄的習慣。

他們主要是借由這種獵取人頭的行爲，來表達心中的怒意或失落感。但是，這些土著絕對不會獵取自己族人的腦袋。當他們要出發取人頭時，第一個被他們碰到的外族人，就是他們下手的對象。

伊洛谷德族雖然是住在山間的熱帶雨林中，但是從一九五九年到六〇年代這一段時間，曾因和低地農民發生爭執而殺害了五十多個平地人。

這樁事件起因主要是因爲菲律賓警察殺害了二名伊洛谷德族的族人，引起了所有伊洛谷德族人民的憤怒，所以他們才群情激憤襲擊低地的人民，在好幾次的衝突中，他們以蕃刀總共殺害了五五人，事後，便將取得的腦袋完全丟棄。當時住在平地的農民都爲了不知道什麼時候會受到土著的襲擊而提心弔膽。伊洛谷德族的獵首行爲在十八世紀時登上了世界記錄的舞台，而目前他們這種行爲仍然持續進行著。

義大利的羽翼惡魔

義大利北部有一個長有雙翼的惡魔存在。這個惡魔總是會從天而降以攻擊美女為目標。

這個惡魔的面貌雖然與人類相似，但是牠卻比人類多長了一對翅膀及頭角。牠的飛行速度相當的快，往往在牠捕捉到獵物（美女）後，就會以極快的速度飛離消失。

當地青年傑克比·梅魯利諾在結婚的前一天，他的新娘子卻被惡魔擄走了。他在事後表示：「那絕對是一個來自地獄的惡魔。牠究竟棲息在什麽地方，還有牠如何處置這些美女，都是大家所無法解答的問題。」

天主教的巴布迪斯塔神父也曾親眼見過這個羽翼惡魔。當時有一位農夫在出門前，他的五個姊妹正在為他送行，而這個帶有雙角及綠色眼睛的羽翼惡魔便從天而降。由於神父正在現場，所以惡魔環繞了一下子之後，就離去了。

神父在事後表示：「根據調查義大利的歷史後發現，棲息在山中的惡魔，經常會捕捉城市中的美女。被捉走的美女都未曾生還，也許最後都被惡魔吃掉了。這個惡魔是確實存在的，而且牠還可以用各種不同的姿態現身。」

當地的居民為了要打退惡魔，經常在教堂中祈禱，而且每天晚上都會在門口掛上十字架。

第六章　百思不解的世界

不可思議的魯魯特泉水

魯魯特泉水是一道世界稱奇的泉水，據說這道泉中的聖水在喝下後，長期不治的疾病都能馬上治癒。

經常有許多被醫生宣佈絕望的病人，在這裡列隊希望能取得聖水來治病。

這個奇蹟式的事實自一八五八年被發現後，一直持續到現在，而且更因超越科學常識的範圍，使人無法提出解釋。

不過像這樣的聖泉，在日本也有很多。

例如，奧羽山系的大和山山吹神水，北阿爾卑斯劍岳山山谷穴靈場的奇蹟之水，群馬縣奈女澤的釋迦靈泉、鳥取縣因幡長壽靈泉等處，都是日本重要的聖泉重鎮。

不管是靈泉、靈水、神水或是不老長壽泉等，都只是名稱上有所不同而已，實際上不管是那一種都有著治癒醫生無法醫治的疾病實例存在著。

聖母現身的埃及科普特教會

在世界各地經常會出現耶穌或是聖母現身的奇蹟。而其中則以埃及開羅郊外科普特教會中，聖母在屋頂現身的事件最爲有名。

第一次聖母是在一九六八年四月二日時，以瑪莉亞的形象現身的。

而在一九六八年後的二年內，聖母又現身了好幾次。從圓形光環中現形的聖母，在教會屋頂的十字架旁做禱告姿態，此時教會屋頂的附近則會出現妖光來回環繞不敢靠近的奇怪現象。

這件奇怪的事件傳開後，有許多人都前來科普特教會朝拜，而這個不可思議的現象也曾在這些人面前出現。

但是，由於警察單位在調查之後無法提出說明，所以便命令科普特教會主教負責進行整椿事件的調查工作。

事實上，這調查小組中的委員，也都曾目睹過這個奇異的景象。

因此，科普特教堂聖母現身的事件，已經成爲一個不可否認的事實，並且也已經召開記者會，表明整個聖母現身時所發生的景象。

世界各地雖然已經常傳出聖母現身的傳聞，但是像科普特教會連續二年都出現這種情形的事件，則是相當令人不可思議的。

後來，在取得現場拍攝的照片後，科普特教的總主教廳也根據事實，正式公開認定這個奇蹟的眞實性。

聖梅塔爾教會的奇蹟

一七二七年到一七三二年間，巴黎聖梅塔爾教會的庭院中，發生了一連串不可思議的怪事。

事情開始於巴黎助祭神父的葬禮上。這名助祭神父由於替許多人治過病，所以被當地人視爲聖人。當他要入葬時，大批的群衆跟在他靈柩的後面送行，而且還有許多人泣不成聲。當靈柩放置在墓穴中的那一剎間，每個送葬的人都向著墓穴拋下如雨般的鮮花。在這群民衆間，有一個足部萎縮的少年，一直以他父親的手爲支柱，來參加這個葬禮。突然間，這名少年的身體扭屈成一團，發出了痛苦的聲音，而使得原本極爲寧靜的教會出現了一陣騷動。

後來，少年的狀態卻又在一瞬間恢復了。當少年張開雙眼看見周圍人們驚訝的表情時，不可思議的事竟然發生了。他那原本已經沒有什麼肌肉的腳，卻突然長肉結實起來，甚至於能跳躍。這時他早已喜極而泣，高興得無法言喻了。

這件事很快的就被傳開來了。在短短的幾個小時內，所有身體殘缺的人，或是患有不治之症的人全都聚集到了教會中。許多手腳殘缺或無法行走的人，馬上變得正常；患有惡性疾病的人也都立即恢復了健康。正因此，使得更多的人來到了這所教會中。

但是，巴黎的治安單位，在一七三二年時因爲許多人聚守在教會，而下令閉鎖聖梅

塔爾教會。

但是，聖梅塔爾教會中所發生的奇異事件，卻可以由許多古書中的記載來證明它的眞實性，這些記載中收錄了許多醫師、判官等在社會上有著高地位人物的證言，這使得教會中所發生的種種奇蹟成爲一種無可置疑的事實。

但是，即使到了現在，所有的醫學家、科學家及哲學家都還無法對這些奇異的現象提出解釋。聖梅塔爾教會所發生的奇蹟絕對不是虛構的單獨事件，這些可能就是人類知識所無法到達的境界。

包裹耶穌的布

義大利德利諾大教堂中，保存著一塊長約四・三公尺的長方形布。據說這塊布是在耶穌墓穴中，用來包裹耶穌身體的布。

這塊被稱爲「聖骸布」的遺物，首次出現在歷史舞台上是在一三五三年時。

一三五三年塞渥伊亞・里互公爵在里列建了這所教堂後，便公開展示了這塊「耶穌眞正的葬布」。從外觀看起來，這是一塊長四・三公尺，寬一公尺左右的亞麻布。

在這塊亞麻布上似乎有一個茶色的人像。正確說起來，應該是二個像，一個是正面像而另一個看起來則似乎是背面像。

以布上所呈現的人像來推論，耶穌的遺體可能橫躺在布的下半部，而再以上半布從耶穌正面蓋上。

拜這塊聖骸布所賜，來里列朝拜的信徒絡繹不絕，捐助箱中更堆積起了如山般的銅板。

這塊布再度受到人們注意則是一八九八年五月二十八日。這一天是聖骸布再度公開的日子。謝可恩德・皮亞在受委託進行攝影工作後，在他家中的暗房中，發生了不可思議的事。從現像液中顯像的底片中，所呈現的影像並不是模糊不清的，而是清清楚楚的面貌。

他所沖洗的是照片的負片，而非正片，但是負片中卻清清楚楚的顯示出人物的正面影像。

換句話說，也就是拍攝聖骸布的是負片

，而洗出來的結果卻是正片。遺品成爲眞實的東西，對皮亞來說他可以拍攝到耶穌本人的照片，這在世界上還是第一次發生的。這個消息在二週後傳遍了全世界。

除了宗教界外，許多科學研究人員都對這件事的眞偽議論紛紛。如果這相片是假的話，那茶色的影像是如何顯現出來的呢？在那個照相技術還不發達的時代中，這可是一個存有很多疑點的問題。

目前，雖然有關人員已經能很明確的表示，這塊聖骸布是十四世紀時的產物，而不是耶穌的埋葬布，但是對於布上的影像之謎，卻還沒有人能提出合理的解釋。

拯救比薩斜塔

義大利比薩斜塔，如果照這樣傾斜的話，它會不會倒塌則是時間上的問題。所有有關單位便開始計畫要進行長期的修復。

現在傾斜的角度大約是七度。七樓的壁面比一樓向外傾出五公尺左右。如果在普通的狀況下，它應該會倒塌，但令人感到奇怪的是，爲什麼它仍然屹立如初呢？

塔的修復工作在一九七二年時，由比薩等市召開的「比薩斜塔拯救組織」負責。以修復主意來說，在十五年內相繼提出了九百多件的修復建議。其中包括有以充氣帆船拉引，在隔壁建大樓做爲依靠，或是將已斜歪的部份上抬反轉一八〇度等各種奇怪的想法。

不過最後拯救小組所採行的仍是最基本的方式：在塔的周圍圍上鋼筋大樓，補強斜塔的裂痕及洞穴，並且在基礎部位注入水泥予以固定。不過話說回來，如果斜塔不斜的話，那似乎就沒有什麼意思了。

在決定後的四年開始動工，而整個工程所要花費的時間大概是四～五年。

月虹

大家都知道「彩虹」是雨後天空所出現的景象。而另外在大自然界中還有一種被稱爲「月虹」的景象。

目前世界上會出現月虹的只有二個地方，第一個是南非共和國的札恩貝幾河，而另一個是美國肯德基州的卡恩巴瀑布。

月虹是一種絢爛的白色光芒，透過下落的水霧，可以使光線產生微妙的屈折光，每個月這種現象平均會出現四次左右。

由於月虹既漂亮又神秘，所以自古以來它就被視爲是一種幸運的象徵。據說，如果月虹出現時，在它的下方進行禱告的話，那不管是什麼願望它都能實現。

尤其是在月虹出現時，如果能接近它而又不會使它斷裂的話，那個人據說一輩子都能非常健康、富有。

比寶石更具價值的「南洋寶貝」

南太平洋土產的「寶貝」是一種價格非常高的貝類。在世界所有的貝類生物中，它是最美的一種。

傳說，以前中央加洛林群島中塞塔瓦魯島的首長阿谷魯布，曾經自塞塔瓦魯島出發，航向谷阿姆島，希望向以殖民爲目的的西班牙人手中買得塞班島。這時他所提出的條件是島上的二名美女、椰子繩四捆及二顆南洋寶貝。

由此看來，對中央加洛林諸島的人民來說，南洋寶貝的確是一種非常重要的東西。

在斐濟，這種「寶貝」也是一種具有非常高價值的珍寶。在斐濟文中，他們把這種南洋寶貝稱爲「布里克拉」，這個字所指的是南洋寶貝的價值遠在首長或司祭的生命之上。

太平洋社會中具有如此高價值的南洋寶貝，在收集家之間的價格甚至比其他金銀財寶還來得高。這主要是除了這種貝類具有相當獨特的美感外，它更是一種生存在深海中的稀有生物。所以它眞可以算得上是名符其實的寶貝。

ＵＦＯ著陸的遺跡

自一九八〇年以來，世界各地經常傳出發現ＵＦＯ（飛碟、幽浮）遺跡的現象。首先被認爲是ＵＦＯ遺跡的是出現在英國南部小麥田中，直徑約十八公尺的三個並排的圓形壓痕。

現場的小麥以逆時針的方向迴轉，並且自地表下陷了七公分。不過在放射能反應中，卻沒有任何異常的反應。

一九八二年在這附近又發現了直徑大約十五公尺的圓形痕，此後，每一年似乎都會發現這種奇妙的痕跡。在日本，有幾處的水田或麥田中，也曾經發現過這類的圓形痕跡，只是到目前爲止，仍然沒有人知道這究竟是什麼原因造成的。

神秘學研究專家德列斯．密典（英國「氣象日報」主編）否定這種圓形圖形是ＵＦＯ遺跡的說法，他表示：「雖然這些圓形圖形形成的原因，目前還無法知曉，但它應該只是一種實實在在的物理現象而已。」爲了要解開這個科學之謎，日本曾召開國際專題研討會來加以研究討論。

諾亞方舟是UFO嗎？

負責進行歷史記錄及遺跡調查的國際研究小組成員休谷・奈斯特指出：「依我個人的想法來說，諾亞方舟實際上應該是一架UFO。我們全體研究小組都認爲聖經上所指的諾亞方舟是確實存在的。只是以當時的製作技術來說，當時人類的力量是無法建造出這樣一艘可以拯救地球所有生物的大船。所以我認爲這艘船應該是借助比人類更進步的宇宙人的力量，才能製造出來的。」

研究小組成員，曾經前往諾亞方舟最後停泊的土耳其阿拉拉特山進行調查。結果在當地發現了許多太古宇宙飛行員所留下的飛行符號。

研究小組中，自然包括了許多太古宇宙飛行員相當有研究的專家。他們認爲這些宇宙人想必是知道地球即將受到洪水侵襲，所以才前來準備援救地球上的生物。

「諾亞本人也許不是宇宙人。但是他可能具有某種特殊的感應能力，能和宇宙人相溝通，而收到大洪水即將侵襲地球的訊息。」

奈斯特本人認爲，諾亞方舟其實就是宇宙人用來拯救地球生物所用的一架UFO。

「這艘方舟當然體積是非常的大。然而再大的船似乎也很難在波濤洶湧的洪流中平穩的行駛。因此，我認爲也許這艘方舟是一架可以懸空的UFO，等到大洪水退去後，才又降落在陸地上。」

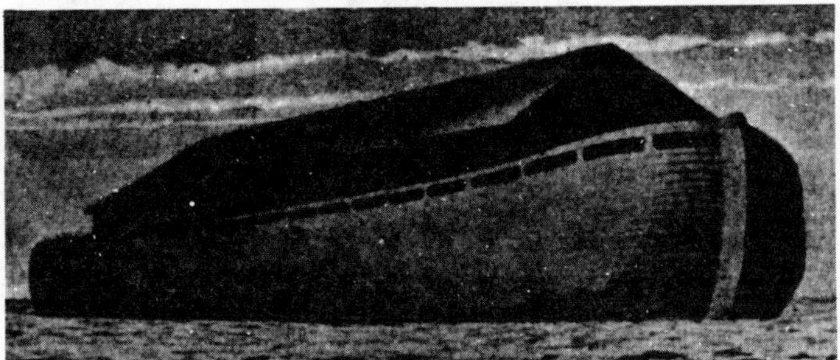
諾亞方舟想像圖

遇見超級UFO的大型機

相信大家對於一九八六年十二月時，日本航空公司的大型載貨機在馬拉斯加上空遭遇UFO的事件還記憶猶新。根據當時新聞界的報導指出，這架UFO的體積比日本航空的大飛機要大上幾十倍。

在所有目擊UFO的事件中，這一次報告應該是可信度最高的。因為從科學的觀點來看，這次目擊報告的客觀性是很高的。

①目擊者人數很多，所以是個人錯覺或幻想的可能性便相對的減少。

②目擊者中包含著對空中現象觀察判斷知識及經驗相當豐富的空服人員。

③目擊現場持續大約五十分鐘，所以目擊者具有充足的時間，可以冷靜的詳細觀察。

以觀察的結果來說，這整個事件可以約略歸納出下列幾個特點。第一，這架UFO並沒有依照慣性法則飛行，這顯示出它有著相當奇怪的飛行特性。第二，當UFO以超過音速的超高速在大氣中移動時，並沒有發生衝擊波。第三，在這架超大型的後方，跟隨著許多小型的UFO。第四，遇見UFO後，這艘大型飛機也被它吸引而跟著UFO飛行。第五則是UFO對飛機進行著示威，威嚇的行動，這也是一直以來飛機和UFO相遇時共同的遭遇。

像這類的目擊事件近年來一直層出不窮，也許我們和UFO的距離已經越來越近，

並且很快就能了解ＵＦＯ的眞正面貌吧！

給戰亡兒子的遺產

有一位住在英國北約克夏州的艾威琳·格林夫人，留下了一五〇萬美元的遺產給她在二次世界大戰中戰死的兒子。

格林夫人的兒子彼得在一九四三年一月十八日時，因爲以一位空爆砲手的身份，參加制伏納粹的柏林空爆行動，而被擊落。但是，當時參加空爆行動，包括彼得在內的七名乘員的屍首卻一直未被發現。

在英國政府的資料中，這次的意外被列爲「第二次世界大戰中的陣亡行動」。但是，格林夫人卻都一直認爲她的兒子還沒死，因此，她每天都在彼得的房間中，等待著彼得的歸來。

格林夫人去世後，她的律師便依照她的遺囑內容，好幾次飛到德國找尋彼得的下落，但是卻一直徒勞無功。

格林夫人遺囑中主要的內容是：「我有一五〇萬美元的遺產準備留給我的兒子彼得，如果到了二〇二〇年一月一日時，彼得仍然沒有回來的話，這筆錢則全數捐出做爲各種動物福利的基金。」如果彼得還活著的話，到了二〇二〇年時，他應該剛好一〇〇歲。

不可思議的食物鏈

太平洋的深海處，有的地方會冒出溫泉來。在溫泉的附近可以發現許多被稱爲軟蟲類的貝類或蟹類生物棲息。

在這片光線無法射及，而被視爲食物鏈起點的浮游生物不能生存的深海中，這些生物究竟如何組成一個得以生存的食物鏈體系的呢？

根據東京大學海洋研究所太田秀博士所提出的假設來說，太田博士認爲在這個區域中，居於食物鏈出發點地位的應該是食取溫泉所噴出硫黃物質的「砂黃細菌」。在地面上，植物在光合作用下，以二氧化碳和水爲材料，製造出澱粉，當這些植物被蟲或草食動物吃掉後，這些蟲或草食動物又被鳥或肉食動物吃掉……如此一來，構成了一個地面生物的食物鏈。在淺海地區，食物鏈的起點仍然是以浮游植物的光合作用做爲起點；但是在陽光無法射及的深海，光合作用的產生卻是一件不太可能的事。

所以，在這種狀況下，深海溫泉中若要產生食物鏈的起點物質，必須在高溫及硫黃的作用下才能產生。在地面上，雖然也有許多細菌是利用高熱及硫黃來生存的，但由於這些細菌並不需要生存在有二氧化碳及光線的環境中，所以它們即使是在海底溫泉中也能生存。因此這些硫黃細菌便取代了浮游植物的地位，而成爲軟蟲類動物或貝類動物的營養源。依據太田博士的推論來看，在這個食物鏈中，這些軟蟲動物自然又成了牡蠣類動物的食物。

散發煙霧的奇菇

有一座位於馬來西亞熱帶雨林中的村落，因爲有一株可以發出煙霧的蕈菇，而每天都吸引了幾千人前來探訪，據說這株奇菇所散發出來的煙霧具有根治百病的作用。發現這株奇菇的阿梅特・拉古奈先生認爲：「這應該就是古老傳說中，具有魔力能治療各種疑難雜症的魔菇！」這種不可思議的發現傳出後，來自各地染有各種疑難雜症的人紛紛來到此地求治。在奇菇的作用下，果眞有許多盲人或宿病患者都恢復了正常與健康。

其中也有不良於行的患者，在與煙霧接觸後，馬上就能興奮的跳躍跑步。不過，這種奇效卻無法在不相信神的人身上發生作用。

不過，有許多對這株植物進行調查工作的植物學者，對於這株奇菇都抱持著各種不同的看法。以煙霧是孢子的說法來看，這株植物應該是隨時都會散發出煙霧才是，但是眞相究竟如何，至今仍是一團無法解釋的謎。

南非的淚樹

南非共和國伊斯特藍德的迪威頓市中，有著一棵很巨大的奇木。這棵樹每年從九月開始到隔年的二月這段時間內，都會「流淚」。有時候從枝葉上所滴落下來的「淚水」甚至還會積堆在地上，成為整灘的積水。

這棵淚樹是一九七〇年時伊斯特藍德管理委員會在公園中所種的一一一株樹木中的一棵。一九八〇年七月，當有人開始傳說這株大木在流淚是因為它在訴說某些情感時，吸引了很多人前來探訪。

發現這個怪異現象的是管理委員會的職員威利艾姆．蒙梭恩德。他發現每年到了成長時間時，即使在天氣明朗的日子中，水滴就會如淚水般不斷從枝葉上滴落下來。

由於這棟大樹所滴下的「淚水」，成份全部是水，所以有人認為它的所在位置也許正和地下水道相通。但是為什麼它能大量吸水而又全部排出，則是植物專家們百思不解的一個難題。

第七章 阿特蘭提斯樂土與大金字塔之謎

沈沒的阿特蘭提斯樂土

希臘哲學家柏拉圖曾經記載著成謎大陸阿特蘭提斯樂土的繁榮與沒落。

據柏拉圖的記載來看，阿特蘭提斯乃是一片位於赫鳩里斯門柱（直布羅陀海峽）西側大西洋上的巨島。阿特蘭提斯除了是一個巨大的王國外，它所包含的領土還有其他的島嶼與背後大陸的一部份。

同時，這個巨大王國所支配的地區從非洲的埃及延伸到歐洲的義大利，並且能與古代的雅典王國相抗衡。首都波塞伊德尼亞是一座直徑二公里的環狀都市，中心部份是神殿與王宮，而與外海相連的是一條長通一公里左右的運河。中心部份呈圓形狀，周圍環繞呈同心圓放射的數條濠溝，也就是所謂的運河。在當時並沒有車子，所以船是相當重要的交通工具，因此，這個環狀的運河網在當時是非常必要的設施。同時，由於這些放射狀的運河能和向海的運河相連絡，所以從內陸出發後，也能乘船經由運河出海，展開一段快樂的航程。

整個首都是以神殿或王宮爲中心，而創建出來的大規模都市。因爲地處亞熱帶氣候區，除了農作物產量極爲豐富外，動物的種類與數量也相當的多。

除了這些特色外，這片人間樂土上還擁有著相當卓越的文化資源、工藝技能與造船技術。但是，這片樂土卻突然沈入海中。

柏拉圖指說：「在大地震與大洪流來襲

時，經過了一天一夜，這座被稱爲樂土的阿特蘭提斯島，就沈入海中完全湮滅了。由於海灘過淺，所以也無法將船拉進來逃生。」

就這樣，這座巨島便在一天之內沈沒了。

如果地球上眞的曾經發生過如此大的變動，那所造成的災害究竟有多大，而地球究竟又曾遭遇多少這樣大的變動呢？只是，當我們利用現代科學來調查這片樂土的所在地時，似乎到目前爲止都還沒有具體的發現。

阿特蘭提斯究竟在那裡

阿特蘭提斯島的位置是一個世界之謎。

英國哲學家法蘭西斯．培根在烏托幫故事「新阿特蘭提斯」一書中，曾經指出巴西就是柏拉圖所提的阿特蘭提斯。

同時，新教牧師休巴努德也曾經表示過阿特蘭提斯島就是現今北海上的黑魯格島，這樣的說法。

不過，在種種見解中，比較被大衆認同的，則是地中海說與大西洋說二種理論。

主張地中海說的學者表示，柏拉圖所指的阿特蘭提斯，應該是西元前一四〇〇年時，因火山爆發而沈入愛琴海中的聖特里尼島。這個島共可分爲五個小島，第一個德拉島其實就是一座火山島。在火山爆發時，整個中央部份好像原封不動的被挖空了，所以現在在東側部份仍然殘留著半月形的遺跡。

由於這次火山爆發相當劇烈，因此也引發了襲擊整個地中海沿岸的大海嘯。當德拉島沈沒的傳說傳到埃及時，就創造出阿特蘭提斯島沈沒的傳說了。

島上的建築物大致上是三到四層的住宅，這裡人民的生活水準相當的高。

但是，由於聖特里尼島的面積實在是太小了，所以有一部份認爲阿特蘭提斯島應該是一座像克里特島一樣的大島才是。

只是克里特島並沒有沈沒的跡象，在這方面，研究人員仍未能提出完整的解釋。

亞索雷斯群島是阿特蘭提斯島嗎？

與「阿特蘭提斯島位於地中海中」這種說法相對立的則是大西洋說。

其中特別引人矚目的是亞索雷斯群島。亞索雷斯群島是在大西洋上以大西洋海嶺姿態出現的一些島嶼所組成的。

由於島嶼本身是由火山作用而形成的，所以當地氣候非常的溫和，香蕉、柳橙、玉米等植物的產量都相當豐富。

主張這些群島是阿特蘭提斯島一部份的人，主要是以柏拉圖所提的地理位置做爲判斷的根據。

這個群島位在直布羅陀海峽的西方，距離葡萄牙約有一四〇〇公里，從這個地點進攻歐洲或美洲都有著相當優越的地理優勢。

亞索雷斯群島中最大的島嶼是以火山壁圍繞而成的聖米開羅島，島上有好幾個火山口，而其中更有著七座小湖。在構造上，似乎與由同心圓放射狀運河環繞而成的波塞伊德尼亞神殿非常類似。

這座巨島究竟爲什麼會沈沒，有人認爲是小惑星直擊地球所造成的。西元前八四九六年，曾經有一個小惑星在撞擊地球後墜落了，而當時所產生的威力，則與現今十五枚氫氮同時爆發的損傷差不多。

據說當時大西洋西岸各地都受到了嚴重的影響。而位在正中央的阿特蘭提斯島很可能就是在直接受到撞擊後，才沈入大海之中的。

阿特蘭提斯位在弗羅里達海面上嗎？

具有預知奇跡能力的艾德加·凱西在一九三三年時曾經指出，能成爲阿特蘭提斯文化傳承的地方，除了猶加坦（中美）、埃及二處外，還有比米尼。

所謂的比米尼乃是指美國弗羅里達海面比米尼島附近一帶。猶加坦和埃及由於是古代文明的發生地，所以當凱西指出這二個地方可能是阿特蘭提斯文化傳承地時，一般人大致上都能接受。但是，大家對於凱西爲什麼把比米尼也列在其中，大家都相當懷疑。一九三三年凱西預言說：「在弗羅里達海面比米尼島附近，會有人從堆積了好幾代的泥沙堆裡面，發現了阿特蘭提斯寺院的部份遺跡。」

這個預言眞的成爲事實了。一九五六年時，有一名漁夫在比米泥海面下十八公尺的海底，發現了一根相當令人不解的石柱。

凱西好幾次提及的比米尼，其實是巴哈馬群島中，由二個小島組成的島嶼。在地圖中，它是位於弗羅里達州邁阿密海岸東方七二公里的海面上。凱西曾表示過：「比米尼原先是大陸的一部份，在這裡應該可以發現許多有關阿特蘭提斯文明的遺跡！」

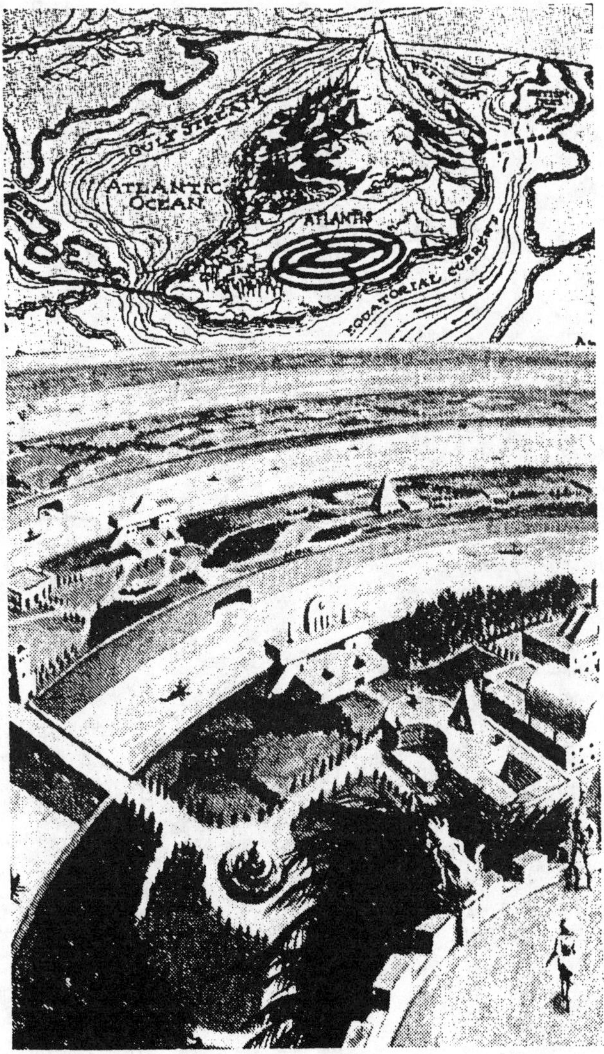
ATLANTIC OCEAN
ATLANTIS

歐洲鰻魚與阿特蘭提斯

歐洲的鰻魚有著一種不可思議的習性。那就是牠們在一生中，會有二段時間橫斷穿越大西洋。第一次是當牠們還是幼魚時，另一次則是到達適婚期的時候。

到大洋中成群出遊的鰻魚群，必須要面對大海中所會發生的各種危險，那爲什麼牠們還保持著這樣的習慣呢？雖然有很多人都對鰻魚的這種習性進行研究探索，但卻還沒有研究人員能提出清楚的解釋。

不過，以尤哈內斯·休米特的假設來看，也許可以讓我們對於鰻魚的這種習性，有著比較清楚的認識。休米特認爲，這種歐洲鰻魚的生活乃是開始於藻海的藻林之中，而藻海則是亞索雷斯海西方的溫水海域。於是鰻魚群便選擇在此地產卵，等到魚卵長成幼魚後，隨著墨西哥灣流游向西歐海岸。

到達歐洲後，魚群自動分爲雌魚群和雄魚群，雌魚群順勢流入歐洲的河川中。差不多五年之後，這些雌魚群再自河川流出，與雄魚會合一同游回藻海。在這樣往返的長途旅程中，得以生存下來的鰻魚，便在藻海的深處交配產卵，傳宗接代。

但是與起點非常接近的卻是西印度群島。令人不解的是爲什麼這些歐洲鰻魚不向西方游，而選擇往東方活動呢？畢竟在長期的旅行中，遭遇危險的比例是相對提升的，究竟是什麼原因讓牠們選擇長途旅行而放棄短程呢？也許這道難題眞正的解答是「因爲在

牠們的目的地裡，有著沈落的阿特蘭提斯樂「土」吧！

培育鰻魚本能的阿特蘭提斯

如果沈落的阿特蘭提斯山是大西洋上的島嶼時，它的情形則會有所改變。阿特蘭提斯島的西海岸受著墨西哥灣流的沖擊，墨西哥灣流在此回轉，使得整個灣流在藻海上形成一條固定的循環路線。這道墨西哥灣流的東方是河川衆多的阿特蘭提斯，而西方所接觸的則是享受淡水之惠的中美和北美海岸。

以漩渦狀流動的墨西哥灣流，將鰻魚從鹽水中運行到淡水中，反過來，又將牠們從淡水中運回海裡。

自古以來，被墨西哥灣流所包圍的藻海，就是鰻魚群進行交配最好的一個場所，也是適合小魚活動的一個最佳環境。

對小魚來說，海藻森林是最安全的避難場所。當牠們被大型肉食魚追捕時，躲到這片海藻森林中是絕對安全的。因此，在鰻魚稍微長大後，這股海流便會將牠們帶往西方或東方大陸的河川河口。

但是，自從阿特蘭提斯島不見之後，鰻魚的生活也開始跟著有所改變。不過，牠們的本能卻還存在著。牠們這種自白亞紀以來就具有的本能，即使在阿特蘭提斯島消失後，仍然帶領著牠們像以前一樣依靠墨西哥灣流繼續的活動著。

但是，墨西哥灣流並不在藻類森林周圍繞行，而是跨越大西洋，遠抵歐洲海岸。於是，許多小鰻魚便在這樣的長途旅行中，死亡了。

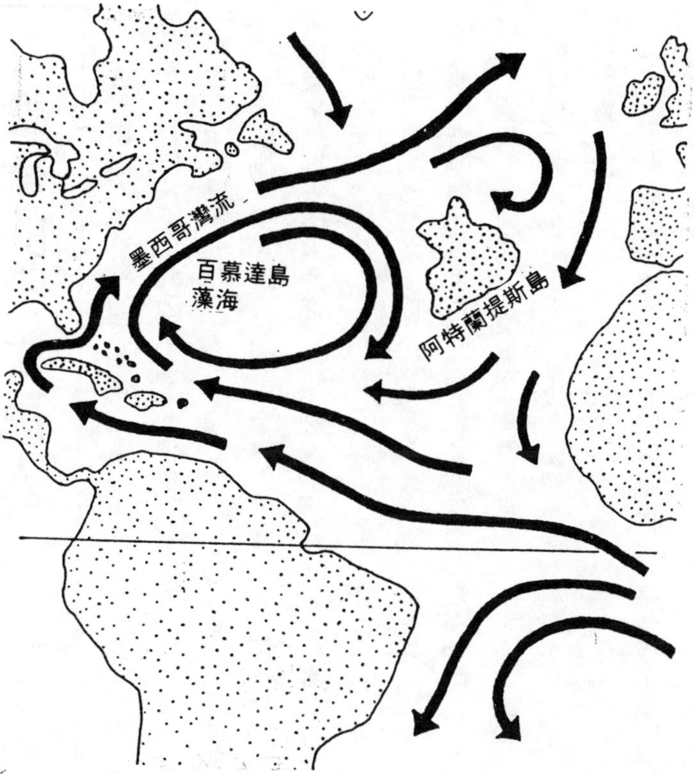

這種長途跋涉的大移動，對於這些小鰻魚雖然相當危險，但是，因爲這種習慣已經成爲牠們的一種本能，所以至今，牠們仍隨著墨西哥灣流的移動，展開長途旅行。

只是，令人感到懷疑的是，一直到現在，這些歐洲鰻魚之所不論生死，都仍隨著墨西哥灣活動的行爲，是否在暗示著其實阿特蘭提斯這片樂土還依然存在地球上呢？

謎樣的巴士克人

法國和西班牙交界的巴士克地區中，住著一群具有特殊文化的巴士克人。他們有著一些很奇怪的特質。

第一是臉。有著鷹鉤鼻的巴士克人，從側面看來長得很像大西洋對岸，純種的馬雅人或印地安人。

第二是農業習慣。巴士克人不用犁鋤耕田。他們所使用的工具是一種分爲二部份尖銳狀，能刺入大地的「拉亞斯」農具。使用這種農具主要是在將泥土軟化後，使泥土適合耕種農作物。

在巴士克地區的周遭，其他民族多是使用犁鋤，爲什麼巴士克人會使用與衆不同的農具呢？而且他們所使用的「拉亞斯」則和中美印地安人的耕種方法相同。事實上，這種耕種方式乃是馬雅古王國的一種習慣。

換句話說，這二個距離大約八千公里，分別位於大西洋東西兩岸的地區，竟然會存在這完全相同的耕作習慣。

第三是被稱爲「迴力球」的娛樂遊戲。這是一種將球往牆上拍打，類似網球的遊戲，有人認爲近代的網球就是發源於迴力球。只是由這裡看來，這個遊戲究竟爲什麼會出現在相隔了一個大西洋的二座大陸上呢？

有人認爲，以上種種類似情況之所以會出現，也許是大西洋上存有一個聯絡二岸大陸的中繼站存在著，換句話說，那極可能就是傳說中的阿特蘭提斯島。

因此，這種種特有習慣，便透過阿特蘭

提斯島傳向巴士克地區。

如果情形果眞如此的話，那阿特蘭提斯的二根重要門柱，很可能就是庇里牛斯山與摩洛哥山了。

復活島

南太平洋中央有一個非常奇怪的島嶼——復活島。由於這個島是荷蘭提督在復活節當天發現的，所以便將它命名爲復活島。

這個島嶼雖然算是智利的領土，但它卻位在智利西方三七〇〇公里的遠方，而和它距離最近的島嶼則是玻里尼西亞人所居住的小島，它們之間的距離也長達二三〇〇公里。所以基本上復活島算得上是一座相當完整的孤島。

將復活島之謎呈現在世人眼前的是挪威人類學家——海伊耶魯達先生。

他在前往復活島調查後，便向人類介紹復活島最具特色的巨石像——莫阿伊（長耳、長鼻、長臉的巨石像）。

要完成一座巨石像必須用六個人的力量，花費一年的時間才能做好。而且工程開始時的巨石像大約只有五公尺，後來才慢慢巨大化，往往到了完工前，它已經超過二十公尺了。

這些巨石像是在復活島東方的拉若拉拉克火山割石場中製造，然後才被豎立在被稱爲「艾弗」的海岸石製祭壇上的。莫阿伊是被二根滾木及樹皮製成的繩索巧妙運到祭壇中的。這段距離將近有十公里以上。到了艾弗時，再以槓桿的力量及利用石塊斜面的性質，使莫阿伊得以豎立。

復活島人口在全盛時期估計約有一萬人以上。而爲了要製造莫阿伊，當時想必一定有著極充足的勞動人力與食糧才行。

但是，最後莫阿伊還是傾毀了，有人推斷也許是當時島上人民發生了抗爭或食糧欠收，森林資源枯竭等原因所造成的。

莫阿伊可能是當地人將祖先神明印象具體化的一種表現。因此，才會被豎立在海邊的石祭壇上。

莫阿伊的身材看起來有點矮胖，而且最大的特徵則是它的長相：長耳、長鼻、長臉和深陷的雙眼。

但是，爲什麼要從切石場將巨石像運移？又爲什麼這種製造工作會繼續了幾個世紀呢？復活島在古時被稱爲世界的肚臍，所以在古時它和支配世界的母大陸之間的關係，就是解開這些巨石像之謎的關鍵。

大金字塔的空洞之謎

早稻田大學古埃及調查隊（吉村作治。人類科學部副教授等八人），在埃及最大古夫王金字塔中，以電磁波進行空洞調查的研究。結果他們提出「整個金字塔有二〇%是空洞」的結論，推翻了一直以來，認爲金字塔是以硬石灰石層層堆積而成的高密度建築物的傳統說法。

早大調查隊所提出的「金字塔空洞說」，都很有可能替考古學、建築史上的埃及學換上一層新的面貌，因此，在國際間自然造成了很大的迴響。

連日來使早稻田受到評論的力量，主要是所謂的「金字塔空間說」：每座金字塔是以大約二三〇萬塊每塊平均二．五公噸的石灰岩造成的。一直以來，金字塔就被視爲是一座密度非常高的建築物。根據法國調查隊表示，整個金字塔的空間大概只有整座建築的一萬分之一，也就是大約只有二三〇立方公尺而已，充其量也只不過是「王妃室」到「王室」這段大迴廊中的空間程度而已。

因此，早稻田隊在進行電磁波調查的同時，也進行與金字塔空間意義的相關研究。結果，他們提出了二個最有力的學說①波震波吸收說，②重量減輕說。

該隊的成員都一致認爲，爲了要支撐總重量高達五七五萬公噸的金字塔，以構造上的空洞來減少重量，的確是一個很可行的方法。

金字塔的奇妙數據

埃及金字塔所呈現出來的各種數據是令人相當驚嘆的。比如，金字塔四邊剛好能對準東南西北四個方向，就足以讓世人稱奇。

金字塔每個斜面的面積都大約和以這個斜面高的長度所做成的正方形面積相等。斜面的面積是二萬一四九六平方公尺，而正方形面積是二萬一五二一平方公尺，二個面積僅僅相差了五平方公尺而已。

四個斜面面積和底面積的比例是一・六一九，這剛好是黃金分割所使用的數值。

四邊長合計和二倍高的比例是三・一四一一，這個數字則又相當接近π（圓周率）。

大金字塔所使用的尺度單位是庫比特。一個庫比特單位，大致上是地球半徑的千萬分之一。以庫比特來測量，金字塔一邊長二三二公尺，大約就是三六五・二四庫比特，而這個數字則恰好和人類一年的日數相等。

另外一個尺度單位則是金字塔寸（以地球直徑的五億分之一爲單位），將金字塔四邊的長加起來，剛好是三萬六四二〇金字塔寸，這個數目又非常接近一百年的日數。

底面二對角線長度合計爲二萬五八〇〇金字塔寸，這個數字與地球歲差運動周期二萬五八二七非常接近。這種種數字的吻合，也許並不是一種巧合現象吧！

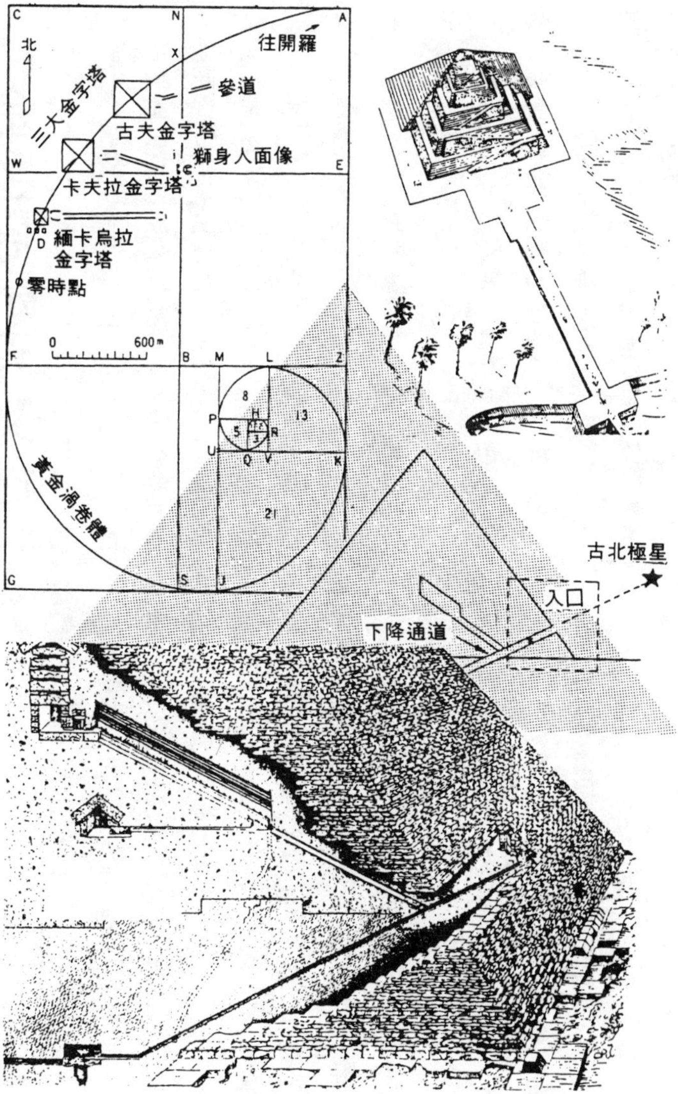
往開羅
參道
三大金字塔
古夫金字塔
獅身人面像
卡夫拉金字塔
緬卡烏拉
金字塔
零時點
黃金渦卷體
古北極星
入口
下降通道

金字塔是天文台

有學者認爲金字塔其實就是一座天文台。這種說法創始於天文學家理查·布羅克達。他認爲金字塔主要是天文學上，一個用來做爲占星術觀測所的建築。

大金字塔剛開始時，只不過是一個「王室」的建築。

那是一個現有金字塔三分之一高度的巨形高台建築。

大回廊向天空開展，上升通路和下降通路扮演著天文台眼鏡的功能。

在下降通路延長線上，有著當時的北極星（龍座的 α 星），這顆星可藉由放置在上下通路交點處的水鏡來觀察。

同時，另一名天文學者亘加·馬克諾格頓也指出，大回廊是天文台，而二條通路則是觀測天狼星的觀測所。

天狼星對古埃及人來說是一顆非常重要的星星。這顆星可以告訴埃及人新年的來臨，以及尼羅河何時會氾濫。

再以另一個角度來看，大金字塔也具有曆法及時間上的功能。例如，正午太陽的位置會隨著季節而改變。所以在金字塔的斜面上，便會出現有影子和沒有影子二種不同的季節反應。

北斜面一半受光，而影子也呈現一半時，則是春分、秋分。當然藉著影子的出現與否，也可以知道何時是冬至、夏至了。

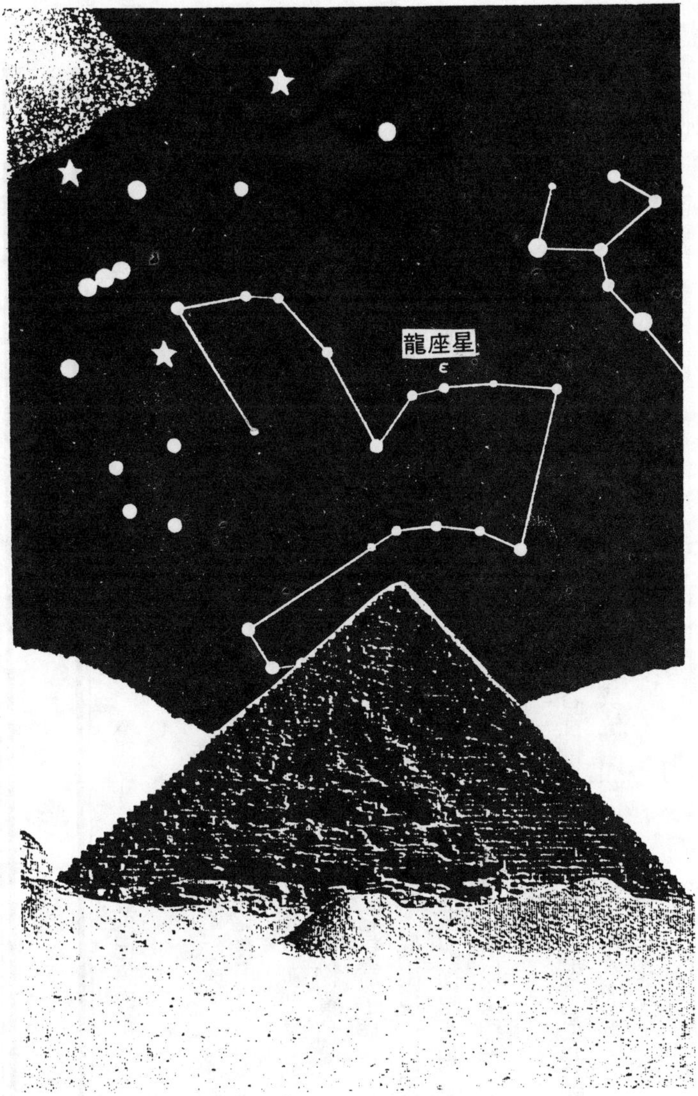
龍座星
ε

月船

在埃及最大法老王金字塔周邊，除了已發現的「太陽船」外，目前已經發現有著木材反應而疑似「月船」的物件。

探查地點是在大金字塔南壁外部，第二次大戰後，在這裡出土的「太陽船」被視爲是當時最大的發現。而現在在這個已成爲博物館地點的西方，則確認發現了一個和「太陽船」一樣長約三十公尺，寬約三公尺範圍的石灰岩「蓋」。不過，據調查結果顯示，在這個地點中卻出現了一些異物反應，測驗結果發現那是一種木材物質品。「太陽船」全長四三公尺，是世界上最古老的大型木船。據說，它是爲了埃及王在死後，仍能乘船到世界各地去旅行而建造的。於是在埃及的傳說中，便出現了白天航行用的太陽船和夜晚航行的月船。雖然，一直以來，很多人都認爲在博物館西側所發現的第二艘「太陽船」其實就是月船，但是目前因爲尚無有力證據，所以這種說法還無法被確認。

有關於「月船」的存在確認，的確還得靠今後各種挖掘調查來完成，不過埃及調查團的吉村作治副教授很有自信的表示：「從傳說或位置關係來看，這片土地下存有著月船的可能性似乎相當的高。」

太陽船的發現

一九五四年五月，埃及地區考古局長卡馬爾．馬拉克，在大金字塔南面東端外緣三．五公尺的地下，發現了一個東西向延伸的長方形凹陷地區。凹陷區用了四一個品質很好的石灰岩（重約十八公噸，長約四．五公尺）覆蓋著。挖掘隊的成員，用手將這些石灰岩一個個的自地中挖取出來。

五五年一月二十八日，是埃及考古學上繼發掘了金字塔後第二個值得紀念的日子。因爲，在地底下長眠的「太陽船」終於再度呈現在世人眼前了。

卡馬爾表示，太陽船是埃及王死後再度甦醒時，要由東方走向西方與太陽各神合爲一體，在天界航行時所備用的工具。不過根據出土的資料來看，太陽船似乎只是埃及王白天航行時所需要的工具。

法老王爲了要能永遠在天界中航行，所以白天他要使用太陽船，而到了晚上則得利用由西向東的月船了。

「這個發現不只是對埃及學有所幫助，即使在世界的考古學上，它也居於相當重要的地位，因爲這是一種二重發現。在我們確認了凹陷區的西方存有這一艘太陽船後，似乎更使得月船存在的說法，越來越具可信度了。」

在早稻田隊調查後，吉村先生對於「第二太陽船」或是「月船」的存在，早已抱持著相當肯定的態度。

第七章　阿特蘭提斯樂土與大金字塔之謎

人面獅身像

有關人面獅身像的起源，似乎所有人都認爲它是一個製造一百年前左右，用來做爲金字塔護神保護卡夫拉王的偉大建築品。

早稻田大學調查隊的隊長吉村作治先生及全隊的成員都一致確認大金字塔和金字塔的南壁，人面獅身像的前腳及側腹（北側）這四個部位的地下所呈現的是一種空洞狀態。當他們把這個調查結果帶回日本，用電腦加以分析後發現，在人面獅身側腹地下二公尺處，有一個一〇・五立方公尺的空洞，這個空洞中所呈現的金屬反應是金而非青銅。

同時，人面獅身像本體地下到這個空洞間，正好有一條通道存在著，所以看來，它所扮演的角色可能不只是單純的「卡夫拉守護神」而已。

人面獅身像的頂點部位卻好都能和三大金字塔連成一個直角三角形的角度，所以吉村副教授認爲：「應該是先造出人面獅身像後，才陸續完成三大金字塔的。」

宮城學院女子大學的矢島文夫敎授（東方文化史），曾針對有關人面獅身像及金字塔的關係表示：「在人面獅身像中有某一部份似乎是在金字塔建造時，不小心遭受到破壞，所以它很可能是一件比金字塔更早出現的建築。」

而吉村副教授的研究，似乎就是以最新進的科技來證明這種說法的一種具體行動。

金字塔的預言

一直以來，幾乎所有研究人員都認爲金字塔內的通路和隔間，應該具有某種特別的意義。這種意義象徵一旦和金字塔幾何學相搭配後，就出現了所謂的「金字塔預言」。

首先是以「一金字塔寸」爲一年，由北面的入口出發。但是這個出發點究竟相當於多少年則得加以探究。而謎題的關鍵在於下降通路的傾斜角度。將這條通路向天空延長就會發現所謂「北極點」的位置。因此古代的北極星α星，在紀元前二一四一年的秋分深夜，曾經將光線投注在下降通路上。從光線聚集處將頭往下看，在「四八二金字塔寸」的地方，可以看見到有二條平行線的岩石接合部。

奇怪的是這條直線稍微比金字塔的傾斜角度向北側偏斜。在這裡將線延長後，獅子座的艾魯邱歐內星在紀元前二一四一年秋分，就曾出現在這條延長線上。

由這二件事來看，預言解讀人員解釋說，四八二金字塔寸的地點可以解讀爲紀元前二一四一年，而入口處則可以解讀爲西元前二一四一年加上四八二年，也就是紀元前二六二三年。

藉由這種複雜的解謎，可以使我們了解許多大金字塔預言所代表的意義。不過根據這種解讀方式來看，在一九九九年時，預言似乎指出地球將要面臨一場大變動。

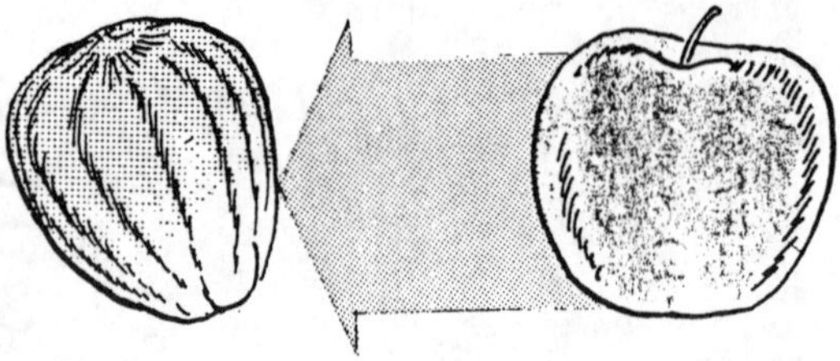

伊甸園的禁果

亞當和夏娃偷嚐伊甸園禁果的故事，是大家耳熟能詳的情節。但是在聖經中卻從來沒有指出，伊甸園的禁果是蘋果。

這個問題對基督教徒來說，也似乎從沒有深究過。

研究聖經的學者專家中，有很多人都認爲也許伊甸園的禁果是葡萄、杏子或是梨子等「智慧之樹」也說不定。

然而，在所有派別的說法中，可能性最高的則是「無花果」。

在聖經中指出，當亞當、夏娃吃了智慧之樹的果實後，曾經使用無花果的葉子來遮掩肌膚。

由這個記載來看，當然在那個時候是以拿取距離最近的樹葉爲最理所當然，所以在當時他們所吃的禁果極可能就是無花果。比起味道較酸的蘋果來說，甜美的無花果似乎比較佔優勢。

伊甸園的位置

美國西南大學的查林斯博士提出了一個假設：伊甸園位在波斯灣的海底。

查林斯博士本身是一位考古學者，然而他對聖經中圍繞著伊甸園的四條河川卻非常的注意。

至目前為止，所有的考古學家都對四條河川中的皮索恩河，及奇風恩河的位置感到相當的困擾。

不過查林斯博士卻以衛星照片為基礎指出：皮索恩河很可能是沙烏地阿拉伯中，沒有河水的巴迪恩河谷；而奇風恩河則很可能是流經伊朗的卡魯恩河。

由查林斯博士的推斷來看，這四條河川應該都在波斯灣會流，而河川周邊所出產的豐富礦物則和聖經中的記述相當吻合。

同時，「伊甸」這個字所代表的意思乃是「肥沃的平原」，因此，這和查林斯博士所推斷的論點正有著不謀而合的情形。

波斯灣在紀元前六千～前五千年時，是一片相當富饒的土地。和現在相比，現在的波斯灣似乎比當時要小得多。

這主要是差不多在紀元前四千年左右，這附近開始下沈，於是居民只好紛紛遷移。

所以由此看來，被視為樂園的伊甸園也許眞的已經沈入波斯灣的海底中了。

死海附近的古書

在死海的附近經常會發現各式各樣的古書，肯拉德·迪博士在瑞士所公開的文物，就是在死海岸邊所發現的古書。

將這本古書分析後發現，它其實就是一本預測二一〇〇年到二五〇〇年前的預言書。當專家們以解讀方式翻譯這些以希伯萊記載的資料後發現，其中竟然有二五項和事實相同。

基督教產生強大的影響力，爆發第一次及第二次世界大戰，美國成爲超級強國，一九六八年美國太空人登陸月球，日本成爲經濟大國……等，都在這本預言書中被標示出來。除此之外，比較引人注目的預言還有下述幾項：

- 一九九一年會開發出根治癌症的疫苗。
- 一九九六年會開發出不會故障的小型人工心臟。
- 一九九九年會發現通用於宇宙空間中的食物，所有的飢餓情形都會消失。
- 二〇〇一年會和十二個地球外的世界建立交易體制。
- 二〇〇八年美國會出現第一位女總統。
- 二〇一二年可以開發出勞動的小丑人物。
- 二〇二九年，五月七日、上午十時，地球會與彗星相撞擊，生物界將會出現很大的傷亡。

這本書就是有名的《死海寫本》，一般人都認爲在死海附近想必還有許多這類的預言書尚未被發現吧！

超古代的超音波噴射機

謎樣的超速黃金噴射機，究竟是什麼樣的機器呢？

目前所發現的這種噴射機雖然不只一架，但是在形狀上多少有些不同。這些小型的出土物，至今所發現的共有十四個，不過製造的目的卻無法判斷。雖然飛機發現的地點相隔非常遙遠，發現的地方也不同，但在設計上卻都一致，可以說是同一設計的變動。

被認爲最接近原型的出土物是在哥倫比亞北部所發掘出來的。這個大小只有五公分左右的出土物，就像是一個掛在脖子上的飾物，一九六九年時美國航空工學的專家波伊斯利博士看見這個奇怪的懸垂物時，整個人都被它吸引了。波伊斯利博士表示：「這應該是一架最新型的超音速噴射戰鬥機。」

「第一個特徵是它的主翼。這架機器有著類似鳥類、蝙蝠及昆蟲般呈三角形的後退翼，即使是飛魚都沒有這麼類似飛行生物的羽翼。從前面看來，這個後退翼稍微有點向下，這和一般飛機退翼向上的情形剛好相反，由此點看來它似乎是具有著超音速控制機不受干擾的特徵。」（取材自歷史讀本「超現實物與超級科技」）

機尾部份有著與飛行動物相類似的垂直尾翼與水平尾翼。同時，在垂直尾翼上還有一個標誌。不過，這個標誌和羅馬字母並不相同，一般認爲它似乎相當於早期希伯萊文中的B字。

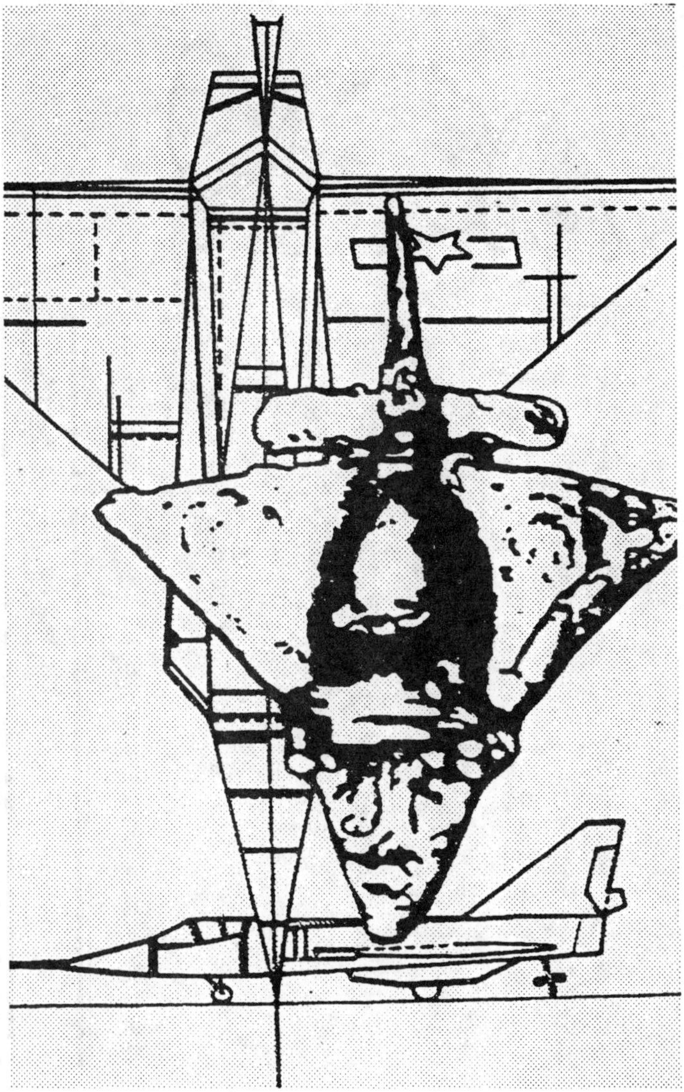

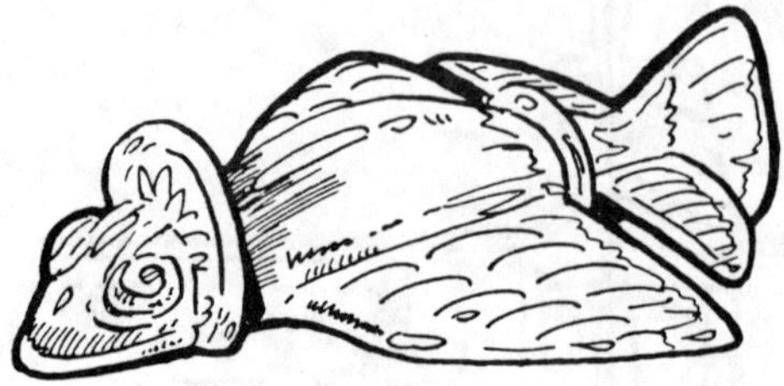

奇妙的超現實品

到目前爲止，地球上經常會出現許多超乎世界史定論或常識的謎樣般出土物。

而其中最受重視的則是「超現實物」。

例如，像電腦、挖土機、超音速飛機這類的機器原本都是需要以高度科學技術爲基礎才能創造出來的。但是，令人感到不可思議的卻是在古代的遺址或地層中，居然可以挖掘出這類的出土物。

由於這些出土品的出現，完全是考古學家在常識上所無法掌握的，所以這些物品便被稱「超現實物」。

其中最有名的便是前文所提的「黃金噴射機」。在南美各地，像是哥倫比亞、哥斯大黎加、委內瑞拉及有著大地繪圖的秘魯等地，都陸續挖掘出了這些小型純金製成的出土品。

第八章
謎樣的地球

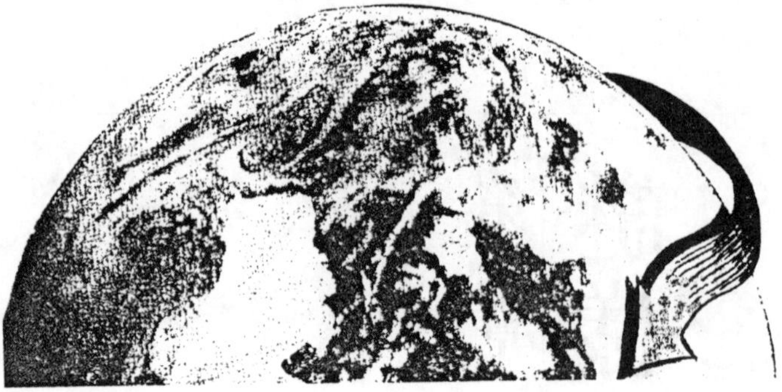

時速六四〇公里的急流

第二次世界大戰末期，當美國爆擊機Ｂ二九要前往日本進行空襲，而飛行在太平洋上時，突然遭遇到了很猛烈的大風。在這種情況下，爆擊機只好原機飛返基地。然而這類的狀況卻接二連三的發生了好幾次。

當這件事引起各方注意後，有關單位便立即進行研究調查，最後發現造成這種現象形成，主要是一種類似噴射狀的氣流。於是研究人員便將這股急流命名爲噴射氣流。

可以飛行在九千公尺高空的Ｂ二九爆擊機所發現的這股氣流，主要分布在偏西風地帶，高度約六千～一萬公尺的高空地帶。氣流平均時速約一六〇公里～三二〇公里，然而有時也會達到六四〇公里的高速。

當飛機能巧妙的運用這股氣流來飛行時，不但可以減短飛行的時間，同時還可以節省大筆的燃料。

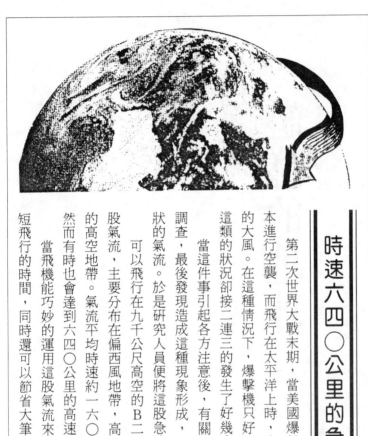

為什麼會有颱風

目前，地球上所形成的颱風，由於發生的海域不同，所以便出現了旋風、颱台、颶風等不同的名稱。

其實，颱風乃是熱帶高溫多濕的空氣，所形成的一種以強烈漩渦出現的低氣壓。而所謂的「颱風眼」，則是在高度差不多十五公里處，被高空積亂雲做成環狀包圍的部份。

空氣漩渦是近海空氣上捲後所產生的。被捲起的空氣，會從巨大的積亂雲漩渦中上升，最後再由渦口散出。

隨著上升氣流運動的空氣，會因漸漸上升而出現於冷卻的現象。當這些空氣冷卻後，其中所含的水蒸氣在達到飽和點時，馬上就會變成小水珠。當這些水蒸氣出現凝結狀態時，它會放出熱，而這種熱就是颱風的能源。

以這個觀點來看，當海水溫度升高時，由於近海面部份空氣暖化，所以會出現浮力，而加快上升氣流的速度。當上升氣流速度加快時，水蒸氣冷卻凝結的速度也會跟著加快，如此一來颱風所需要的能源就大量形成了。

當科學家們進行海水表面溫度與颱風形成區域的關係研究後，科學家發現，在地球上的海洋中，海水的溫度超過二六．五度的區域，是最容易產生熱帶低氣壓並且形成颱風的地區。

亞馬遜大逆流

地震之後，海嘯是最令人擔心的現象；而大逆流則是一種與海嘯相當類似的現象。

由於海嘯是突然出現的，因此除了在事前無法預知外，也似乎沒有什麼記錄流傳下來。但是，和海嘯性質極爲類似的大逆流，NHK曾經以它爲研究主題，派遣了專業人員，前往亞馬遜河流域進行大規模的取材，並且做出記錄。而這些記錄的主角便是「亞馬遜大逆流」。

被當地名之爲波洛洛卡（大音響）的大逆流，每年都會在固定的時間出現，尤其是四月上旬時。因此，美國及德國的研究人員，曾經在大逆流發生時，靠近岸邊準備以攝影的方法來拍攝大逆流的實況，但是，這二國的研究人員卻都不幸慘遭淹沒了。

由於曾發生這樣的不幸，NHK要前往探查時，便改乘直升機，由上向下取材。取材人員首先搭自亞馬遜河河口出港，然後航向亞馬遜河北流——亞拉瓜利的方向。

在雨季期四月份時，水流量急增的亞馬遜河很自然的會和大海潮發生衝擊，於是這些水流便如同海嘯一樣，全部往內地逆流。

在亞拉瓜利河河口直升機基地中待命的取材人員，終於等到了「大逆流」。四月八日早上，河岸附近的猿猴就開始發出了啼叫聲，接著在河口處出現了一道道與河堤並排的白色浪花。很快的，就如同暴風雨來襲前一樣，浪花一直衝上岸邊，緊接著「大逆流」就出現了。

大逆流來勢洶洶，不斷以最猛烈的姿態襲擊著岸邊。

十二公里寬的河道，轉瞬之間有如架起了一道拱形的水橋，在波高達到三公尺，而時速達到四十公里的狀況下，鉛色的沖浪不斷的押進河口內側。波浪以二段、三段的形態直衝岸邊，從河口開始二百公里的範圍內都受到了威脅。

大逆流通過之後，岸邊呈現出枝葉散落，林木倒塌，甚至於樹根被連根拔起的蕭條景象。

雖然，大逆流的波高有三公尺，但是由於它的寬度極大，所以取材人員仍然能很清楚的看見大逆流的景象。

異常高水溫現象之謎

西班牙語中的「耶魯．尼紐」所指的，就是年末年初時，發生在東太平洋赤道附近的異常高水溫現象。

關於這個異常高水溫現象，氣象評論家根本順吉先生曾經提出過下述的說明。

「南美海面北上的寒流，在秘魯、厄瓜多爾的海面上會轉爲西向的赤道寒流。在此，富有極高養份的深層海水便上湧，而使得許多浮游生物得以在此繁殖，因此，這裡便成爲世界上一個相當重要的鰹魚魚場。但是，由於此處的水溫很低，水份便無法蒸發，因此雖然地處低緯多雨地帶，但是此地的降雨量卻非常少。處在寒流區的島嶼，雖然四周都被海水環繞，但是卻沒有椰子樹一類海島植物生存，看起來簡直就像是一片海中沙漠。我曾經就在馬歇爾群島的東方海面上，看過一座這樣的島嶼。不過，在十二月到次年三月的這段時間中，西吹的貿易風會減弱，而使得北上的寒流到了秘魯北部沿岸就不再向前進，這時溫暖的赤道反流就會流到厄瓜多爾、秘魯沿岸，附近的水溫在這種狀況下，便上升二～三度。當水溫上升後，雖然浮游生物減少，但是卻因爲降水量增加，對當地農作物（香蕉、可可）產生正面的影響，而出現農作物得以收成的現象。當地的人，從以前就認爲這種季節現象是上天所賜的耶誕禮物，於是當地人便把這種現象稱爲『耶魯．尼紐』，其實他們所要表達的意思則

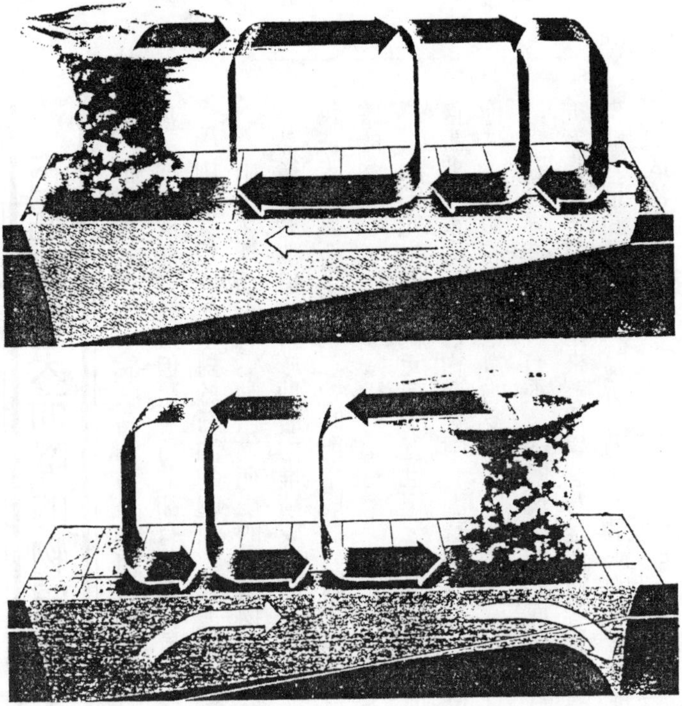

是『小耶穌』。」

但是，這種現象卻會在幾年間，出現一次混亂的現象。其實這主要是赤道反流在秘魯沿岸南緯十二度附近時，水溫會上升三～五度。這使得深層的湧昇流不再出現，而沿岸的浮游生物在無法生存下，以它爲餌的鰹魚漁量便大減，所留下來的就只剩下沿岸的豪雨了。

這種現象一般都認爲是一種局部性的異變狀況，但是事實上，太平洋赤道區附近，乃至於整個地球都已漸清楚的出現了這一類的異變。所以，異常高水溫現象與氣候變異之間的關係，在日後應該會越來越明確。

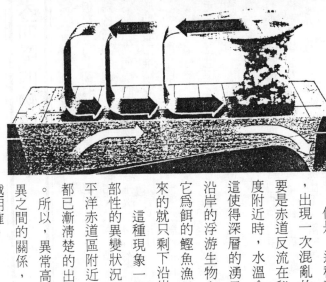

石油是從天而降的物質嗎？

根據教科書中所說，石油乃是一種古代動植物殘骸在堆積之後，藉著熱和壓力作用，而形成的物質。但是，目前卻有研究人員反駁這個看法，而提出另外的解釋。

山田久延彥先生對於石油的起源，則主張「石油天來說」的看法。

山田久延彥不認爲動植物死後的有機物，可以在微生物的作用下，分解成無機物，然後這些無機物再於地層中堆積成石油。並且他認爲，開採出石油的岩石層乃是中世代末期到新生代第三紀時所生成的岩石，這使得他更加認爲他自己的看法是相當正確的。

山田先生對於紀元前十五世紀，大彗星接近地球，而造成地球世界上極大災害的傳說非常重視。在舊約聖經中「因彗星逼近，使得許多隕石和粗汽油（石腦油）降注地球」之類的記述相當的多。

在世界油田中，有很多岩鹽塊上或側面出現穹地油田的現象，山田先生之派的研究者認爲，這就是用來解釋岩鹽乃是伴隨著巨大隕石一同降落地球的證明。同時，沙漠地方是油田最多的場所，因此，這派的學者更提出了，當初就是因爲隕石降落，才會造成沙漠的看法。

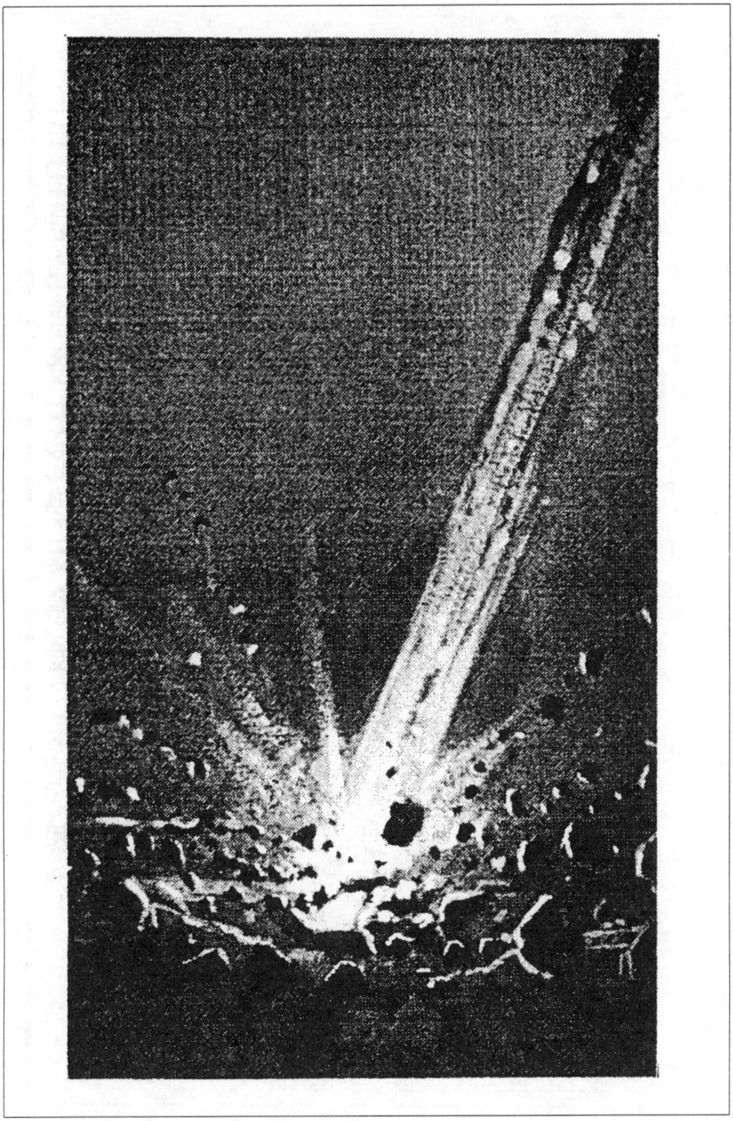

石油是地球發生化學反應後形成的嗎？

關於石油的形成方面，美國學者所倡導的是「地球生成說」。美國最大的油田地帶是在洛磯山山脈附近，除了可以從大斷層五千公尺的地底下開採出石油外；美國有關單位，也在墨西哥灣的海底油田中，從水深三千公尺的海底開採石油。

這種情形似乎無法用傳統的「生物起源說」來解釋。因爲照生物起源說來看，當石油或天然氣從堆積岩被挖取出來後，似乎就應該沒有這類物質存在了，但是從美國探採的實例來看，在堆積岩以下的地層深處，卻還開採得出石油和天然氣。

基於這個事實，美國柯內魯大學的格魯德和梭塔二位教授一致認爲：「石油是地球內部在某種化學反應後所形成的，形成之後，這些物質便傳流到了比較危弱的岩石區。」

三菱瓦斯化學創業者榎本隆一先生，則在從地下一萬公尺的火成岩中能開採出石油或天然氣後表示：「從這個事實來看，天然氣似乎不是堆積有機物就能形成的，它應該是從很深的地層中，所產生的一種氣體。」東京工業大學的崎川範行榮譽教授，對於「地球生成說」的這個理論也相當的支持。

袋鼠的起源地在那裡

一般人都認爲澳洲最有名的有袋動物—袋鼠，是在澳洲土生土長，獨自進化而成的一種動物。並且在澳洲似乎因爲曾經發現可以證明袋鼠是澳洲土產動物的化石，而使得認爲袋鼠原產於北美的說法受到了駁斥。

但是，最近紐澳大脊椎古生物學研究所的科學家們，卻在澳洲中部的曼格恩斜坡地上，發現了三千萬年前~五千萬年前的有袋類動物化石。這個發現出現之前，在澳洲所發現最古的有袋類動物化石，大約是二五千萬年前的動物，而這一次所發現的化石似乎比二五千萬年前還要久遠。所以又有人認爲，這次所發現的化石，應該是在四五千萬年前，澳洲自岡瓦納大地分離出來之前的化石遺物。

岡瓦納大地被認爲是距今數千年前，位於南半球的一塊大形陸地。當中世代時期，地球發生激烈的地殼運動後，岡瓦納大地才漸漸分裂成印度、南極、澳洲、南美、非洲及北美等地塊。

因此，在最近主張目前澳洲有袋類動物和其他大陸有袋類動物之間，有著某種血緣關係存在，而且這些澳洲有袋類動物是岡瓦納大地尚未分裂前，原產於北美地帶的動物，爾後才慢慢向南美、南極發展，直到來到澳洲後才發生分裂這種說法的人越來越多。

目前所發現的化石是已經滅絕的種類，而這些有袋動物的牙齒非常小，以此來推斷，它們的體型也應該很小，並且與現存的品種並不相同，也許是一種新的品種吧！

澳洲和日本東北地方的起源

日本弘前大學的箕浦幸治講師認爲，日本東北地方的一部份，和澳洲的某一部份，基本上是二個隔著海洋的共同體。

日本東北地方的地質方面存有許多謎，北上山地、阿武限山地地質是六五〇〇萬年前的古地質，但除了這個部份外，爲什麼其他地區是呈於比較新的綠色凝灰石地形呢？

箕浦講師在對這裡的地質進行詳細調查後，他把東北地方的地質特質大致分爲三大類。①北上山地南部及阿武限山地具有大陸性地質的特性。②早池峰構造帶以南是以海洋性堆積物及土沙流混合構成的。③深海扇狀地則是以相當複雜的堆積物所組成的。而這三種地質基本上形成的時間是依序漸進，而非同時產生的。

首先，在二億年前左右，因爲海洋地盤向亞洲大陸推進，而使得這些海洋堆積物形成了早池峰構造帶以前的部份。後來，深海底扇狀地的堆積物向北側發展，而創造了北海道南部及東北北部地形。最後，大陸性地塊才在一億六千萬年前，形成北上山地南部及阿武限山地。

由於這片大陸性陸塊的構成是在三億年前，而其中古生物化石和古磁氣的分布都和澳洲東部的情形相同，因此，這證明了這片地塊是三億年前開始從澳洲大陸分離，直到一億四千萬年前才到達日本東北地方的說法。

由這個觀點來看，實在令人深深的覺得　地球的動態理論吧！
地球其實是活的，當然這也許算得上是一種

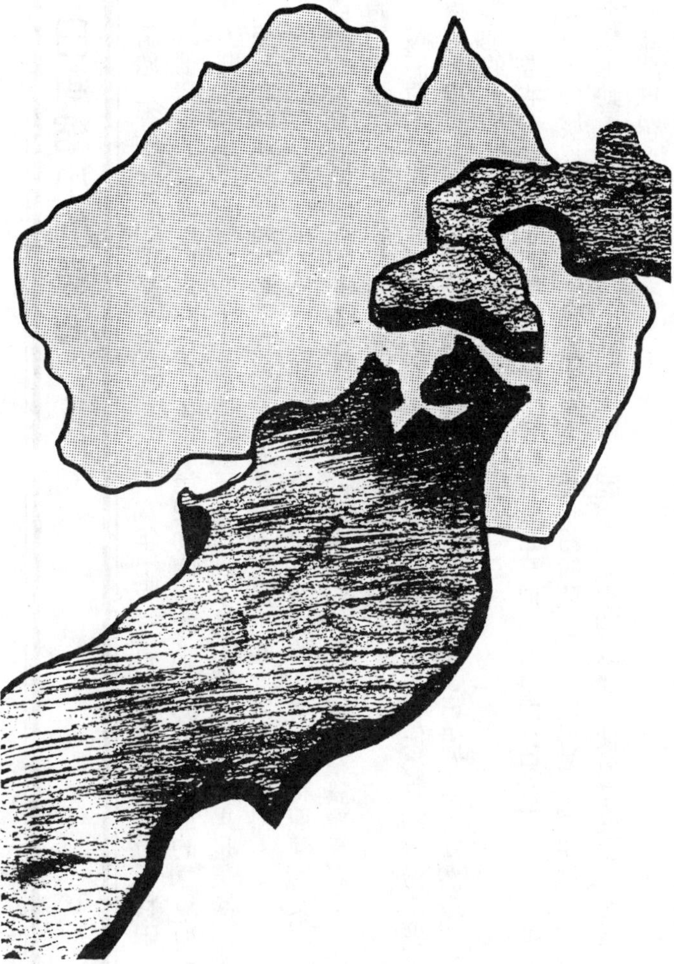

日漸縮小的鹹海

請您先查閱一下「理科年表」（一九八八年出版）這份資料。從這份資料中，我們可以很清楚的看見，原來在世界中排名第四的內陸海——蘇俄西南部的「鹹海」，在二八年內縮小了百分之四十，目前排名已經退到了第六位。這份結果是美國西密西根大學，菲利浦·米格林教授在科學專業雜誌上所提出的一份研究資料。

造成鹹海日漸縮小的原因主要是近年來，流入鹹海的西魯·達利亞河和艾姆·達利亞河的水量激減。河川的水流，在入海的途中大部份都被轉用在農業灌溉上，所以整體的水量比一九六〇年時，整整減少了三分之一左右。

鹹海原本就是一片鹹水湖，而現在又隨著水量的減少，更使得它的鹽份濃度不斷的提高。事實上，目前的鹽份濃度已經比一九六〇年提高了三倍左右，當然這個轉變對當地的生態系造成了很大的影響。

在當地從野豬到老虎等大型動物曾經有一七三種，而目前卻只剩下了三八種而已。同時，由於魚類一直無法適應水質的改變，紛紛死亡，而使得整個湖岸地區的生態完全發生動搖。其中更有二家罐頭工廠，因爲魚類生態改變，使營業受到了影響，而只得關門歇業。

如果這種情況再持續發展下去的話，一般預料在二〇〇〇年時，鹹海的面積可能會縮小到一九六〇年時的三分之一。

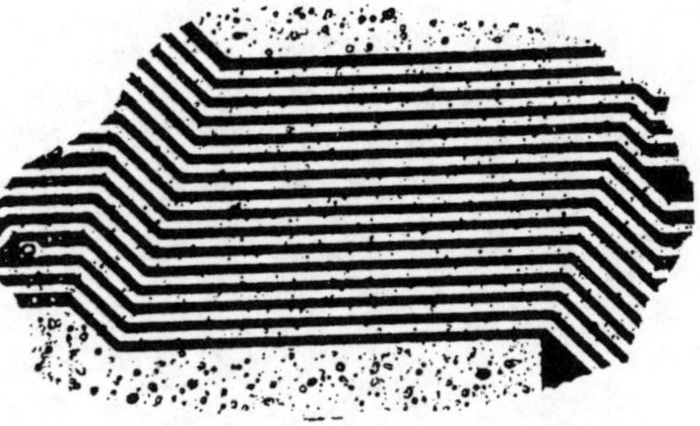

澳洲巨大的地底電氣回路

澳洲東南部布洛庫恩希魯市附近的地底，有著一片相當大的電氣回路。澳洲政府礦物資源局的地球物理學研究小組認爲，在這片巨大的電氣回路中，有些部份的電源甚至高達一百萬安培以上。

這個回路，在利用電鑽探測地底電界時所發現的。

由於回路的電源以相當薄弱的方式擴散，所以還無法運用來做爲電力資源。不過有了這個明確的發現，倒是使得地質圖製作上所存在的許多問題得到了解答。

地球上是一個永久性的磁場，所以在這個地區的地底下，當然極有可能會出現電流現象。

雷姆利亞大陸的一部份

國際科學小組確認，在大約一六〇萬年前的確有一片已經沈落的「遺失大陸」存在於印度洋之上。

據調查指出，這片沈落的大陸，很接近南極大陸，而且是位在八百公尺水深的凱魯格雷恩台地上。它的面積與阿根廷差不多，在一億年前因爲火山爆發而形成，其後卻開始慢慢下沈，而大約在一六〇萬年前，這片大陸便完全沈入大海之中了。目前所殘留的部份只有凱魯格雷恩諸島及南極圈附近的島嶼，而這些殘留的部份原先都是這片大陸的山岳地帶。

科學小組在進行了十週的海底調查後，採取到了部份恐龍的牙齒，及能證明這裡曾經有森林及動物存在的石碳。而在這次調查中，主要是以確認南極大陸原先是和這片遺失大陸共爲一體爲目標。

但是，如果提起沈入印度洋的大陸時，雷姆利亞大陸這片被視爲人類發源地的大陸，便會浮現在人們的腦海中。然而凱魯格雷恩諸島和雷姆利亞大陸究竟有什麼關係存在，則是今後科學家們所要研究的另一個課題。

鑽石比地球出現得更早嗎？

宇宙大概形成於一五〇億年前，而地球則大概是在四五~四六億年前誕生的。

地球上最早形成的古礦物，大約是四一億年前形成的澳洲鋯礦。

但是，東京大學理學院的研究小組以年代測定法竟然測出鑽石乃是形成於地球誕生之前的結果。這個結果使一直以來的地球科學知識形成了極大的變動與震撼，更有可能造成地球誕生歷史或年代測定法出現修正的現象。

這個研究中所使用的鑽石產於非洲的札伊爾。它的規則極爲不整，由於有一邊只有幾公釐大，所以內部混入了許多雜質，看起來並不好看。

測定結果顯示，這個鑽石是六十億年前所形成的。

但是，爲什麼在地球上會出現比地球更早形成的物質呢？關於這方面，研究人員所提出的解釋歸納起來有下列三種可能。

①地球的誕生是在六十億年前，而不是四五~四六億年前。

②這顆鑽石乃是形成於地球形成前太陽系以外的宇宙，在不知的原因下，飛來地球的。

③年代測定的過程中，出現錯誤。

進行測定之一的小島稔教授，在研究結果提出後，則有感而發的表示：「研究小組在測定進行上相當有自信。至於爲什麼會出

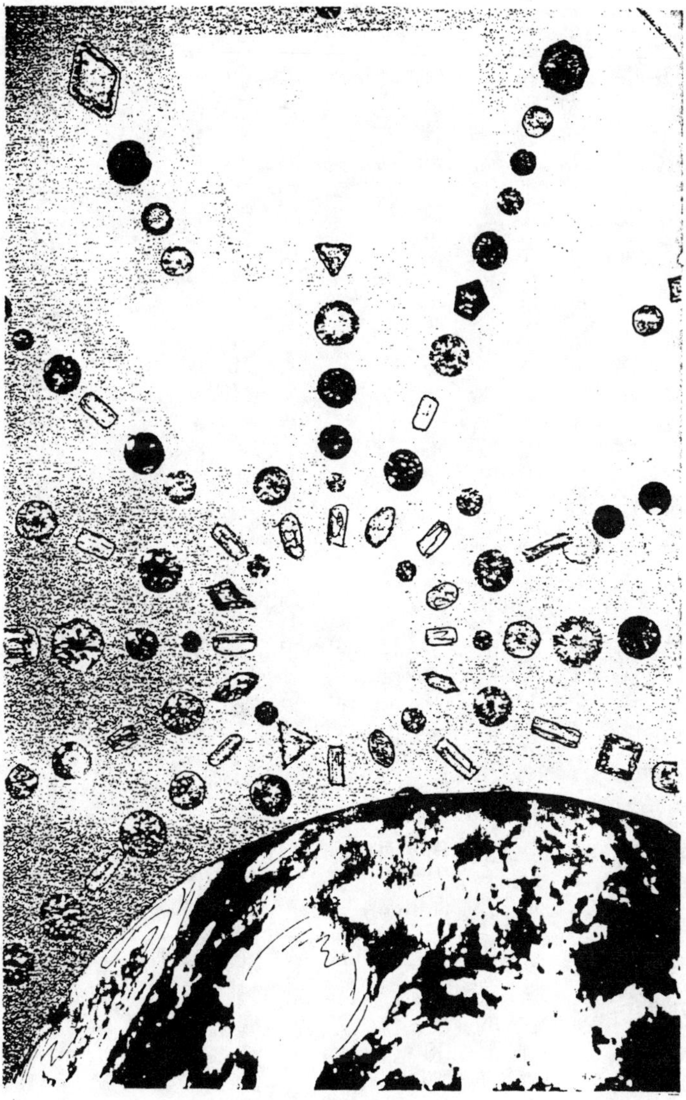

現與常識相悖的情況，我們只有保持沈默才是上策。」

地球與小行星的衝突

從前當西班牙人征服美洲時，爲了要使所有的美洲大陸原住民改信基督教，便將所有有關古代歷史的資料消除。這時，馬雅古書當然也被丟棄了。

不過在少數殘存的遺物中，最有名的則是「波波魯烏」這本古書。

「波波魯烏」這本書中記載著，恐怖之神弗拉卡恩在地上搬弄洪水時，在天上可以看見巨大的火焰。在蓋亞那的阿拉瓦克族中也流傳著類似的傳說。由此看來，當神靈要執行懲罰行爲時，牠們先會帶來火災，再帶來大洪水。

在希臘古老的傳說中也曾提及，踩著太陽火輪的馬，由於太過狂暴，在接近地面時，給地面帶來嚴重的災害，而雷斯便以電光，將牠打落於艾利達諾斯川之中。

印地安奇書「地拉姆．巴拉姆」的第五章則記述著：「這是發生在地球甦醒時的事。不知道究竟有多少人爲了什麼事來到這裡。天空下起了火雨，落下了滿天的灰燼，樹木一棵棵的倒塌。火雨使得樹木和岩石都裂開了……，巨大的蛇由天而降……後來蛇的皮和骨片都降落在地上。緊接而來的恐怖的浪潮。巨大的蛇全部自天而下，乾枯的大地漸漸的沈沒了…。」

自天而降的巨蛇其實所指就是宇宙中的小行星。因爲小惑星頭部所噴發出的氣體，和蛇的形狀很相似。

第八章　謎樣的地球

聖經中的歷史事實

世界上最暢銷的書就是聖經。但是，日本人對於聖經卻存有許多的誤解。

根據可恩諾凱恩依基先生的說法來看，他認爲日本人對聖經所產生的第一個誤解是「聖經是基督敎的正典」。

日本人總是把聖經和基督敎聯想在一起，但是聖經中所記載的卻都是基督敎發生以前的事，和基督敎並沒有直接的關係。同時，聖經並不只是單純的傳承物。雖然有很多人都認爲聖經中所記載的都是一些神話或傳說，充其量也只是依史實加以粉飾的內容，但事實上，當後人以發掘等實證方法來驗證時，很清楚的可以知道，聖經中所記載的的確是眞實的歷史。

例如，學者一直對通天塔或諾亞洪水等聖經中的內容相當懷疑，但是一次一次的舉證都證明了這些記述具有相當的歷史眞實性。

古代為地球帶來大變動的金星

我國系猶太人——伊瑪尼耶魯．貝利可夫斯基提出了「大假說」學說。

那就是在古代，金星曾爲地球引發了大變動。

在紀元前二千年以前，或是在稍微晚一點的時間中，古代的天文學者並不認爲金星是一顆行星。但是，沒過多久，金星卻以其他行星不同的運動方式展開活動。

正因如此，貝利可夫斯基才以這個記錄做爲證據，提出他的「大假說」。他認爲古時候太陽系最大的行星——木星曾經發生過大爆炸。後來巨大的溶岩便聚成了金星，這個金星的軌道和地球非常接近，因此和地球發生了很大的衝突。

由於金星接近地球，所以使得地球上發生了巨大的地震和火山爆發，造成了地球上都市崩毀。

他爲了要證明自己所提出的大假說，便從舊約聖經開始，進行各種古書或傳說的研討。

世界各地對於共同的天災人禍或是無法忘懷的大災害都能源遠流長的被傳承下來。

如果沒有這種流傳特質存在的話，大概就不會出現發生在距離異常遙遠或是不同時代中，共通的大變動故事了。

金星闖入地球軌道

上坂晨先生所提出的理論似乎可以試著用來說明貝利可夫斯基所提的假說，使我們了解金星所造成的究竟是什麼樣的災害。

據貝利可夫斯基表示，紀元前十五世紀左右，闖入地球軌道的金星，散發著令人睜不開雙眼的紅色塵埃與氣體。

這些紅色的灰塵充滿在地球大氣層中後，整個陸地或海洋都像被鮮血染紅了似的。每個人為了要尋求沒受這些紅塵污染的地下水，便瘋狂的向地底下挖掘。

《出埃及記》第七章二十節到二四節中，就有著這種悲慘狀況的記述。

金星與地球的距離慢慢縮短，接著地球就似乎變成了金星的尾巴，紅色的灰塵和隕石開始降注在地球上。

舊約聖經中也有類似這種情形的記載。

「冰塊如雨般的降下，冰塊的中間還閃爍著火樣的光芒。」

馬雅聖典《波波魯·布夫》中也記載著：發生了大洪水，每個人都沈溺在由天而降的液體中。這些液體和金星尾巴的氣體結合後，就是所謂的石油了。

地球激烈的搖動，地軸也發生了大規模的傾斜。

《出埃及記》中所提到的奇蹟，也和這種大變動有著很大的關係。摩西被埃及軍追趕越過國界時，出現了巨大的月亮及煙柱。其實這就是金星接近地球時，在地表上所引發的超大型颶風。

同時，摩西分割紅海，創造通道的故事雖然很有名，但是事實上，他的這種能力可能正是宇宙突然放出金星的引力與電磁氣作用後，造成地殼移動的一種結果。

其他，像是英國著名的天文學者里特魯頓則以數學上的論證，提出所有行星都是由木星分裂而成的說法。

恐龍為什麼會滅絕

「恐龍滅絕的原因很可能是植物因爲隕石衝撞引發大規模山林大火後無法生存，間接使恐龍失去食物所造成的。」

由山形大學理學院齋藤常正教授爲中心的研究小組，曾在英國科學雜誌《自然》一書中，發表如下的研究成果：六五〇〇萬年前恐龍滅絕而轉變成哺乳動物時代的原因，主要被認爲是隕石衝撞所造成的，而顯示這種衝撞的地層，則首次在亞洲被發現了。因此，由花粉分析來看，當時地球上的植物似乎眞的已經完全滅絕了。

齋藤先生等人所發現的地層是在北海道浦幌町的茂川流布川沿岸。這裡是白亞紀與第三紀泥岩時期中，形成的厚度約六～十公分的黑粘土層。這種土層在以前是在比較淺的海底底部才有，所以從當時浮游生物的化石分析來看，當隕石與地球衝撞後，的確形成了許多砂塵堆積的現象出現。

一九八〇年時，美國的華德·艾魯巴列茲教授等人發表說，恐龍滅絕主要是隕石衝撞所引起的理論。在正式的計算中，直徑十公里的隕石，可以釋放出相當於一億百萬噸級TNT火藥的運動能源。因此，他認爲隕石撞擊後所形成的砂塵，將太陽光線遮蔽了許多年，這使得植物因爲無法進行光合作用而死亡，恐龍則在植物死亡後，因爲無法取得食物而滅亡。

山形大學研究小組的山野井徹副教授，曾在各不同年代的地層中，採集花粉進行分

析。他發現隕石與地球衝撞之前，是以羊齒類爲中心；有問題的粘土層中，卻沒有任何花粉存在的跡象；到了第三紀的土層時，則發現松樹植物大量增加的情形。

松樹是一種喜好日光的植物，它最初是長在荒地上。當隕石和地球衝撞後，地上的植物便消失一空。齋藤先生表示：

「自從美國密西根大學研究小組在粘土層中發現灰塵微粒後，一般就推斷，隕石和地球衝撞引發了大規模的山林火災，在植物無法生長食物鏈斷絕的情況下，恐龍極有可能也因此而滅絕。」

核子戰爭與地球凍結

如果爆發了全面性核子戰爭的話，地球將會面對什麼樣的危機呢？

假如，有一百萬噸級的核彈爆發的話，爆發時的火柱直徑大約會有二三〇〇公尺，爆發後所留下的彈坑直徑可能有九百公尺，而破壞深度則大約有九二公尺。

假如，世界上有人使用了目前總核量百分之二十的核武的話，那地球上馬上會出現熱線、爆風、放射線、高熱火災等反應，這時大約會有二五億人立即死亡。

一旦真的發生了這種狀況，有許多人都樂觀的認爲核武避難所應該是一個可以確保安全的地方。因此美蘇兩大國，以色列、西德等歐美國家都有許多私人或公家的核武避難所這種設施存在著。

在瑞士有一道法令規定，人口在一千人以上的自治體，就備有建築核武避難所的義務。

即使人們能在避難所的庇護下逃過一劫，但是更恐怖的事實則是在核子戰爭後，死亡的灰塵還將籠罩地球大約一百年。

您所居住的地方即使不是核彈爆炸的地點，但是核彈的死灰仍會藉著氣流的運動，爲您的生活帶來衝擊。同時，大火發生時產生的濃煙將會長期遮蔽太陽的光線，破壞大氣的循環，如此一來，地上的平均氣溫將會降到零下四〇度以下。這時地球所要面對的大概就是全面凍結的危機了。

第八章　謎樣的地球

海的誕生

海的存在與否與生物的生存之間究竟有著什麼樣的關係呢？在太陽系所有的行星中，地球有一個很重要的特徵，那就是地球上的生命源自於海洋。至於海是如何形成的，一直到現在卻都還沒有人提出定論。

最近東京大學理學部的松井孝典，發表了一份這方面的新論。四六億年前，原始太陽的周圍有著冷冷的氣雲，而在它直徑一公里的範圍內形成了無數的小行星。這些小行星在多次的相互衝撞下，吸收了對方的能源而漸漸成長，最後變形成了原始行星。而地球正是其中之一。

地球成長為目前的大小，大約得花上一億年的時間，如果以這個時間來計算，地球在當時每一天中，都可能要和一千個左右的微小行星發生衝突。

衝突一發生就會產生大量的熱，藉著這種熱可以使水蒸氣、二氧化碳、氮氣得以蒸發，漸漸的形成了原始的大氣層。在水蒸氣方面，因衝突而形成的熱無法在宇宙空間中散發，所以使得地表的溫度慢慢的上升。

地球在直徑只有目前四〇％時，地表的溫度高達攝氏一二三〇度，這時出現了岩漿海，岩漿形成後，大氣中水蒸疑被硅酸鹽吸收後，成份便開始減少。接著從地表散發到宇宙空間的熱量增加，地表溫度開始下降，岩漿部份有些出現凝固，隨著新的衝突發生，水蒸氣的量這時又再度增加了。如此一來，岩漿又出現溶化的情形。以後便又如此反

覆演變下去。

因此，當地球只有現在四○%大小時，一直到現在，地表溫度大約都是攝氏一二三○度左右，而原始大氣中，所保有的水蒸氣量也一直都是一個定數。這個水蒸氣量大約10^{21}公里，與目前海的總量相同。目前水蒸氣可以用何時下雨的方式來計算。

最近，天際之間雖然經常可以發現相繼形成的原始行星，但如果這些原始行星眞的都在大氣中包含著水蒸氣的話，那松井的說法也許就眞的能得到證明。

如果地球沒有海洋

地球是太陽系行星中，液態水存有量最豐富的一個星球。同時地球更具有產生液體、氣體及固體三種水樣態的溫度條件。水看起來雖然不是什麼很特別的物質，但事實上，它卻有著相當重要的性質。

水的熱容量很大，可以吸收大量的熱，也可以放出大量的熱。因此，海洋就具有了以表層吸收太陽放射能，再將所吸收的這種熱態儲存起來的功能。水在蒸發時需要大量的熱，在凝結時則會釋放出大量的熱。

因此，海水在緩慢蒸發的同時，大量的熱能就被儲存在大氣中的水蒸氣裡了。這種能源在水蒸氣凝結成雨或冰時就會被釋放出來，而使氣溫上升。在這樣的過程裡，大氣中的氣壓發生了變化，隨著大氣循環的作用，在自然界中便產生了風。風帶動了浪潮，浪潮產生了海流，於是海洋的能源便漸漸的傳散開來。

地球吸收來自太陽的放射能源與地球本身的放射能平衡時，會出現低緯度地區吸收多，而高緯度地區吸收不足的狀況。如果熱能的運動沒有藉著空氣或海洋由低緯度帶到高緯度的話，那赤道附近則會一直持續著高溫，相反的極地地區則會永遠處在低溫的環境中，那整個地球的生存環境便會變得相當惡化。

所以，海洋在輸送熱能上所扮演的角色，和大氣的地位都是同樣重要的。

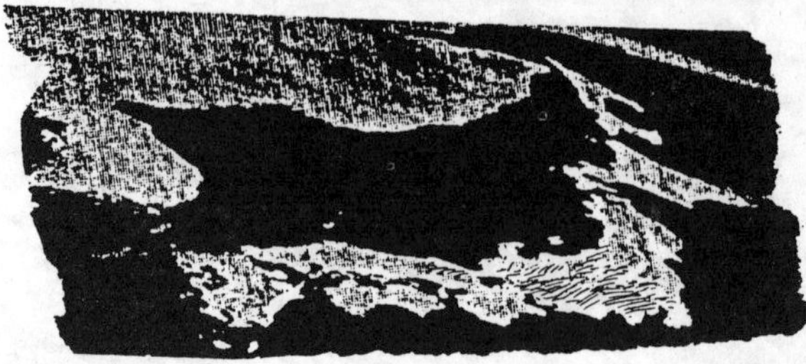

日本海溝的形成

大家都知道喜馬拉雅山脈是地盤活動下的產物。

印度大陸和歐亞大陸長年累月衝突的結果，使得交界處的土地出現了隆起的現象。

承載著印度大陸的印度地盤北側是廣大的歐亞地盤。印度地盤爲了要向北移動，便和歐亞地盤發生了衝突，於是二個地盤交界處的土地便慢慢提升，喜馬拉雅山脈便是在這種狀況下形成的。歐洲阿爾卑斯山脈的形成，也是基於相同的道理。

大陸地盤比較輕，海洋地盤卻比較重。因此，當海洋地盤與大陸地盤相碰撞時，海洋地盤便會出現下陷。

當太平洋地盤撞及歐亞大陸地盤時，太平洋地盤出現下陷的情形，於是便形成了日本海溝。

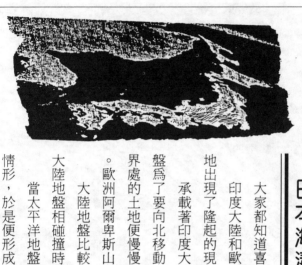

住在一片大板上的人類

當我們將地圖上非洲西海岸與南美東海岸組合看看時，可以發現這二個地區的地圖居然能和拼圖板一樣，剛好湊成一片。

這並不是一種偶然，而是大陸形成的一個證據。

地盤理論就是說明大陸形成的一個重要學說。

地球表面中被稱爲地盤的部份，其實是由許多岩石質的板塊所構成的。

大海的海底中有一些海嶺，這些海嶺經常會冒出岩漿，而所冒出的岩漿則會不斷的形成新的地盤。因此，地盤所承載的大陸，在一年之中總會移動個幾公分。

不過，海洋的地盤倒不是大得不可限量，有些部份會因受到其他地盤影響而下降，形成所謂的海溝。

例如，日本列島關東以北所依附的是北美地盤，而其他部份則是承載在歐亞地盤之上的。

以日本海溝爲例，東邊受到太平洋地盤壓迫，南邊則又被菲律賓海地盤所壓擠。

因此，在這種兩面夾攻的情況下，日本當然是一個地震頻繁的地震區了。

何時會出現兩極移動呢？

美國阿達姆・D・巴巴教授指出：

「下次兩極移動（九千年發生一次）後，大洪水會給地球帶來災害，這種現象會出現於現在開始五十年中（一九五五年到二〇〇五年）的十二月二十一日或是六月二十一日，也許是明年，但也許是五十年後。當然，也有可能發生在十二月二十一日和六月二十一日以外的日子中。由於陀螺運動壓力的影響，如果眞的在這二個日子以外，發生了突如其來的兩極移動的話，那危險度便會大大的提高，因此，我們得格外的注意並加以警戒……。」

所謂的兩極移動究竟是一種什麼樣的狀況？其實這主要是地球的兩極在受到突然的震動後，分別向其他地區移動的一種現象。

地球具有南、北二極，這中間有一個地軸將兩極連貫起來，使地球得以迴轉，而地軸的傾斜角度是二三・五度。

傾斜的地軸使地球得以來回轉動，但是如果地軸的傾斜度加大時，當船隻面臨沈沒危險時，也許就無法逆轉了。

從前，北極的位置並不是在現在的北極。大約三億年前，北極點乃是位於太平洋的正中央。因此，在當時西伯利亞、阿拉斯加等地都是屬於赤道地區，天氣相當的炎熱，和現在的情形完全不同。即使到了現在，極地的位置仍然有著一點一點的移動現象。目前已確認的是，北極的位置有一點向美國方

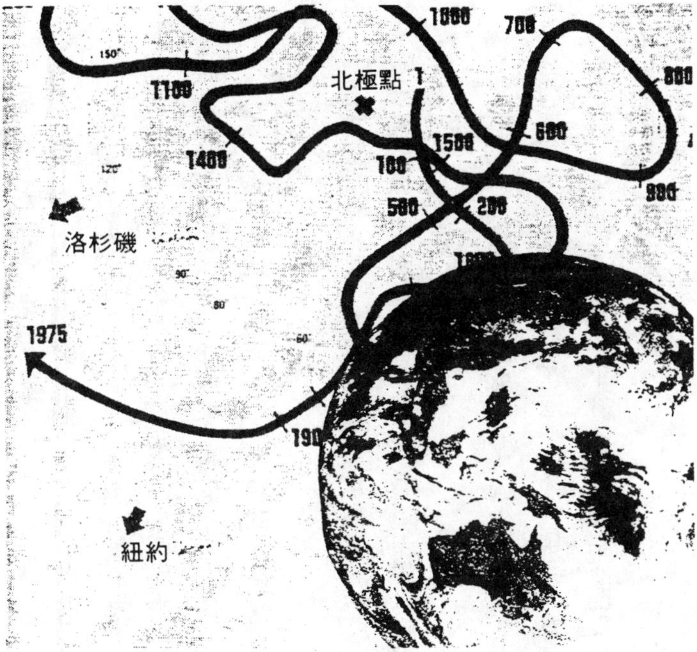

向偏斜的情況出現。

依照巴巴教授所計算的兩極移動結果來看，在往後的九千年中，很可能會出現太陽由西方升起，而從東方落下的情形。

地球一直是以一種陀螺的方式來運轉。所謂陀螺式的旋轉乃是一種以中心軸站立轉動的運動方式。但是當速度消失時，軸心便會傾倒。

現在，北半球夏天時，往往因爲降雨使得海洋、河川及湖泊的水量急增，地上的物體越來越重，因此，地軸的傾斜度也就日益增加了。

兩極移動與人類

一旦眞的發生了兩極移動時，地球上會出現什麼樣的災害呢？

巴巴教授表示，當地球中的海洋，如同盛滿鍋中的水發出劇烈搖動時，就很可能會產生兩極移動的現象，這時從水爆開始，人類所要面臨的則是一連串恐怖的天災。

因爲在這個時候時速三六〇〇公里的洶湧波濤，會襲擊到內陸四八〇〇公里的範圍中。

除非所居住的地方是距海超過一萬公里的地區，否則沒有人能感到安心。像紐約這樣靠海的城市，可能會被一二〇〇公里深的水淹沒，而摩天大樓也不可能逃過這場浩劫。

所有的大都市可能都會成爲大水過後的瓦礫堆。

當人類眞的面臨這種狀況時，即使利用亞諾方舟的模式，也似乎無法改變人類滅絕的命運。如果眞的要指出不會受到這種恐怖現象殘害的地點的話，那大概只有在中國內地，也許能逃過這一劫。

ONKYO

日漸減弱的地球磁場

地球的磁場和磁極自地球誕生以來，就一直不斷的有所改變，在距今六九萬年前，地球的磁場曾經急劇減弱，最後消失。隨著磁場的消失，覆蓋地球的厚重磁衣也跟著縮小，造成了強力的宇宙線直接衝擊地球。這種狀況大約持續了一萬年，後來地球才又出現新的磁場。

新形成的磁場方向和以前的磁場正好相反。換句話說六九萬年前磁石的N極所指的是南方。

回顧地球的歷史來看，在過去七六〇〇萬年間，一共逆轉了一七一次。在這些變動中，與現在方向相同的「正磁極期」及相反的「逆磁極期」所佔的比率其實相差不多。正磁極期平均的繼續期大約是四二萬年，而逆磁極期平均約爲四八萬年。

從最後一次磁場逆轉到現在已經經過了六九萬年了。在最近的調查中發現，地球的磁場強度每一百年會減弱了五％，如果以這種比例持續下去，到了二千年以後，磁場強度就會變成零了。綜合這種種研究結果後，研究人員指出磁場逆轉期已經越來越迫近了。

在溫室效應中海洋所扮演的角色

地球從太陽所吸收來的能源，會以紅外線的形式釋放出來，以使能源的收放取得平衡。但是如果以地球緯度的差別來看，赤道附近接受的熱能比放出的熱能來得多，而極地附近則是放出的能量大於吸收的能量。

這種熱能收放的緯度差，正是引發空氣及海洋大循環的動力來源。如果空氣及海洋中的熱無法向高緯度地區運送的話，那極地地區的溫度將會比目前低五十～六十度，而赤道附近的溫度則會比現況高上十～二十度。

太陽能源的熱能輸送工作，在地球上是由空氣和海洋來負責的。雖然一般人都認爲空氣是主要的傳送者，但在進一步的研究後發現，海洋的作用絕不亞於空氣。應該得特別注意的一點是在低緯度地方，空氣所扮演的功能還不如海洋來得重要。

但是，需要特別注意的是，海洋所負責的熱輸送量，是在扣除了大氣層外的放射收支及大氣層內的熱輸送測定後，才由海洋來傳送的。因此，在溫室效應日益嚴重的現在，想要正確掌握海洋輸送熱能的數值，不是一件很容易的事。

行蹤不明的二氧化碳吸收源？

當科學家們研究被閉鎖在南極冰床中的氣泡，進行舊空氣分析時發現，空氣中的二氧化碳會有隨時間經過而增加的現象。十八世紀的氣泡中，二氧化碳已增加了一·二倍。

但是，在現實世界中，爲什麼二氧化碳的量並沒有增加呢？這並不能只以石油或石碳等化石燃料的使用來做說明，特別是如果不考慮本世紀前半期以前，生物圈放射出大量二氧化碳的話，根本無法提出說明。產業革命以後，歐亞大陸和北美大陸大規模的進行森林耕地化，曾使得生物圈大量釋放出二氧化碳。

依照現有的理論來說，二氧化碳中有六〇％會被海洋所吸收，但是卻有學者認爲「海洋並不具有那麼大的吸收能力」而否定了原有海洋吸收的說法。

到了一九七〇年代之後，開始有人在組合了許多理論後，從海洋吸收二氧化碳的能力是否增加的觀點來進行研究。但是結果卻顯示，海洋本身甚至連吸收二分之一化石燃料放出的二氧化碳量都無法達到。於是這便衍生出了「行蹤不明的吸收源」，各國相關單位對於這種吸收源的討論正因此而逐漸的白熱化。

珊瑚礁與溫室效應的關係

最近有關珊瑚礁的探討越來越多了。北海道大學水產學部的角皆靜男教授指出：「吸取二氧化碳的珊瑚礁不斷的增加，使得地球溫室效應的情況越來越嚴重。」角皆教授所提出的這種新論，和傳統之中以溫室效應防止對策的立場來看，珊瑚礁的增加往往會令人聯想到二氧化碳會相對減少的論點，可以說是居於一種對立的地位。

角皆教授表示，構成珊瑚礁的碳酸鈣物質中具有強鹼的氧化鈣以及碳酸，在溶於海水中時會出現弱酸的反應。當珊瑚礁在海中增加後，由於強鹼與弱酸物質一直呈現抵消狀況，使得海水中的氫離子無法取得平衡，這造成所有的成份都偏向酸性的情形自然會出現。

另一方面，海水酸性化後，由於碳酸不容易溶解，所以海水中的二氧化碳便大量釋放到空氣中。在角皆教授的試算中，珊瑚礁所需求的二氧化碳與放出於空氣中的二氧化碳量是相等的。

因此，如果由這個論點來看，珊瑚礁的增加的確會帶動地球溫室效應的形成。

但是，地球溫室效應中成爲問題的二氧化碳，只不過是存在地球上所有碳氣中的一小部份而已。海水中大概存有的二氧化碳量是空氣中的五十倍，而石灰岩中的存有量則大約是空氣中的十倍。以各種形態存在的二氧化碳彼此之間是以什麼樣的反應相互貫通

，到目前尚未完全被瞭解。

因此，今年度開始日本的通產省便著手進行固定由珊瑚礁形成的二氧化碳爲基礎的研究。同時通產省的研究人員也指出：「原始空氣中被列爲主要成份的二氧化碳，原本大部份就是由以碳酸鈣爲主要成份的石灰岩中所產生的。所以研究生產石灰岩的珊瑚礁生態，的確是一件很重要的工作。」

曾經是肥沃地帶的撒哈拉沙漠

古埃及傳說中的夢幻大河，現在終於可以用太空船所拍攝的雷達照片來加以確認了。

雖然曾經有很多探險家一直在進行，傳說中在幾千年前乾枯的夢幻大河，但一直都沒有具體的發現。然而，在分析太空船所傳送回地球的地表資料後，卻發現傳說中的夢幻大河的確曾經存在過。

這個夢幻大河的地點正是埃及、蘇丹及利比亞三國國界附近的撒哈拉沙漠地層深處。由地表來看，這個地區只是一片沙漠地帶而已，但是，從宇宙所傳回地球的雷達照片來看，在沙漠的地底下，卻清清楚楚的呈現出完整的河床地形。

由這個發現，我們可以肯定的表示，目前這片乾燥度非常高的撒哈拉沙漠，在從前原本是一片氣候溫和、土壤肥沃的富饒地帶。

潮汐與生死

自古以來，人們就一直認爲「滿潮時會有人誕生，退潮時就有人會死亡」。但是，事實上這種說法並沒有任何的科學根據。

琉球大學醫學部的飯淵康雄教授研究小組，曾經花上了二年的時間，針對生死與潮汐的關係進行統計研究，結果顯示這二者之間並沒有關係存在。因此，在研究結果提出後，科學界便確認「以前的傳言只是一種沒有根據的說法」。

一九八五年到一九八六年這段期間中，研究小組將在沖繩島內出生和死亡的四萬一千人，分別根據出生死亡的場所、時間及死因做下記錄，將這些記錄資料輸入電腦中與潮汐的資料相互比較，結果發現生死之間的人數大約佔著一定的比例，而和潮汐之間卻沒有什麼關係。而由統計數據中看來，早上六點到半夜四點之間死亡的人數似乎比較多。不過有一個比較值得注意的「新事實」則是，死亡似乎與月齡比較有關係，因爲在統計中八日到十四日之間，死亡的人數似乎有比較多的現象。

大展出版社有限公司　圖書目錄

地址：台北市北投區11204
致遠一路二段12巷1號
郵撥： 0166955～1

電話：(02) 8236031
8236033
傳眞：(02) 8272069

•法律專欄連載•電腦編號58

台大法學院 法律學系／策劃
法律服務社／編著

①別讓您的權利睡著了[1]	200元
②別讓您的權利睡著了[2]	200元

•趣味心理講座•電腦編號15

①性格測驗1	探索男與女	淺野八郎著	140元
②性格測驗2	透視人心奧秘	淺野八郎著	140元
③性格測驗3	發現陌生的自己	淺野八郎著	140元
④性格測驗4	發現你的真面目	淺野八郎著	140元
⑤性格測驗5	讓你們吃驚	淺野八郎著	140元
⑥性格測驗6	洞穿心理盲點	淺野八郎著	140元
⑦性格測驗7	探索對方心理	淺野八郎著	140元
⑧性格測驗8	由吃認識自己	淺野八郎著	140元
⑨性格測驗9	戀愛知多少	淺野八郎著	140元
⑩性格測驗10	由裝扮瞭解人心	淺野八郎著	140元
⑪性格測驗11	敲開內心玄機	淺野八郎著	140元
⑫性格測驗12	透視你的未來	淺野八郎著	140元
⑬血型與你的一生		淺野八郎著	140元
⑭趣味推理遊戲		淺野八郎著	140元

•婦幼天地•電腦編號16

①八萬人減肥成果	黃靜香譯	150元
②三分鐘減肥體操	楊鴻儒譯	130元
③窈窕淑女美髮秘訣	柯素娥譯	130元
④使妳更迷人	成　玉譯	130元
⑤女性的更年期	官舒妍編譯	130元
⑥胎內育兒法	李玉瓊編譯	120元
⑧初次懷孕與生產	婦幼天地編譯組	180元

⑨初次育兒12個月	婦幼天地編譯組	180元
⑩斷乳食與幼兒食	婦幼天地編譯組	180元
⑪培養幼兒能力與性向	婦幼天地編譯組	180元
⑫培養幼兒創造力的玩具與遊戲	婦幼天地編譯組	180元
⑬幼兒的症狀與疾病	婦幼天地編譯組	180元
⑭腿部苗條健美法	婦幼天地編譯組	150元
⑮女性腰痛別忽視	婦幼天地編譯組	150元
⑯舒展身心體操術	李玉瓊編譯	130元
⑰三分鐘臉部體操	趙薇妮著	120元
⑱生動的笑容表情術	趙薇妮著	120元
⑲心曠神怡減肥法	川津祐介著	130元
⑳內衣使妳更美麗	陳玄茹譯	130元
㉑瑜伽美姿美容	黃靜香編著	150元
㉒高雅女性裝扮學	陳珮玲譯	180元

•青 春 天 地• 電腦編號17

①A血型與星座	柯素娥編譯	120元
②B血型與星座	柯素娥編譯	120元
③O血型與星座	柯素娥編譯	120元
④AB血型與星座	柯素娥編譯	120元
⑤青春期性教室	呂貴嵐編譯	130元
⑥事半功倍讀書法	王毅希編譯	130元
⑦難解數學破題	宋釗宜編譯	130元
⑧速算解題技巧	宋釗宜編譯	130元
⑨小論文寫作秘訣	林顯茂編譯	120元
⑩視力恢復！超速讀術	江錦雲譯	130元
⑪中學生野外遊戲	熊谷康編著	120元
⑫恐怖極短篇	柯素娥編譯	130元
⑬恐怖夜話	小毛驢編譯	130元
⑭恐怖幽默短篇	小毛驢編譯	120元
⑮黑色幽默短篇	小毛驢編譯	120元
⑯靈異怪談	小毛驢編譯	130元
⑰錯覺遊戲	小毛驢編譯	130元
⑱整人遊戲	小毛驢編譯	120元
⑲有趣的超常識	柯素娥編譯	130元
⑳哦！原來如此	林慶旺編譯	130元
㉑趣味競賽100種	劉名揚編譯	120元
㉒數學謎題入門	宋釗宜編譯	150元
㉓數學謎題解析	宋釗宜編譯	150元
㉔透視男女心理	林慶旺編譯	120元

㉕少女情懷的自白	李桂蘭編譯	120元
㉖由兄弟姊妹看命運	李玉瓊編譯	130元
㉗趣味的科學魔術	林慶旺編譯	150元
㉘趣味的心理實驗室	李燕玲編譯	150元
㉙愛與性心理測驗	小毛驢編譯	130元
㉚刑案推理解謎	小毛驢編譯	130元
㉛偵探常識推理	小毛驢編譯	130元
㉜偵探常識解謎	小毛驢編譯	130元
㉝偵探推理遊戲	小毛驢編譯	130元
㉞趣味的超魔術	廖玉山編著	150元
㉟趣味的珍奇發明	柯素娥編著	150元

・健 康 天 地・電腦編號18

①壓力的預防與治療	柯素娥編譯	130元
②超科學氣的魔力	柯素娥編譯	130元
③尿療法治病的神奇	中尾良一著	130元
④鐵證如山的尿療法奇蹟	廖玉山譯	120元
⑤一日斷食健康法	葉慈容編譯	120元
⑥胃部強健法	陳炳崑譯	120元
⑦癌症早期檢查法	廖松濤譯	130元
⑧老人痴呆症防止法	柯素娥編譯	130元
⑨松葉汁健康飲料	陳麗芬編譯	130元
⑩揉肚臍健康法	永井秋夫著	150元
⑪過勞死、猝死的預防	卓秀貞編譯	130元
⑫高血壓治療與飲食	藤山順豐著	150元
⑬老人看護指南	柯素娥編譯	150元
⑭美容外科淺談	楊啟宏著	150元
⑮美容外科新境界	楊啟宏著	150元
⑯鹽是天然的醫生	西英司郎著	140元

・實用女性學講座・電腦編號19

①解讀女性內心世界	島田一男著	150元
②塑造成熟的女性	島田一男著	150元

・校 園 系 列・電腦編號20

①讀書集中術	多湖輝著	150元
②應考的訣竅	多湖輝著	150元
③輕鬆讀書贏得聯考	多湖輝著	150元

・實用心理學講座・電腦編號21

①拆穿欺騙伎倆	多湖輝著	140元
②創造好構想	多湖輝著	140元
③面對面心理術	多湖輝著	140元
④僞裝心理術	多湖輝著	140元
⑤透視人性弱點	多湖輝著	140元
⑥自我表現術	多湖輝著	150元
⑦不可思議的人性心理	多湖輝著	150元
⑧催眠術入門	多湖輝著	150元
⑨責罵部屬的藝術	多湖輝著	150元
⑩精神力	多湖輝著	150元

・超現實心理講座・電腦編號22

①超意識覺醒法	詹蔚芬編譯	130元
②護摩秘法與人生	劉名揚編譯	130元
③秘法！超級仙術入門	陸　明譯	150元
④給地球人的訊息	柯素娥編著	150元
⑤密教的神通力	劉名揚編著	130元
⑥神秘奇妙的世界	平川陽一著	180元

・養 生 保 健・電腦編號23

①醫療養生氣功	黃孝寬著	250元

・心 靈 雅 集・電腦編號00

①禪言佛語看人生	松濤弘道著	180元
②禪密教的奧秘	葉逯謙譯	120元
③觀音大法力	田口日勝著	120元
④觀音法力的大功德	田口日勝著	120元
⑤達摩禪106智慧	劉華亭編譯	150元
⑥有趣的佛教研究	葉逯謙編譯	120元
⑦夢的開運法	蕭京凌譯	130元
⑧禪學智慧	柯素娥編譯	130元
⑨女性佛教入門	許俐萍譯	110元
⑩佛像小百科	心靈雅集編譯組	130元
⑪佛教小百科趣談	心靈雅集編譯組	120元
⑫佛教小百科漫談	心靈雅集編譯組	150元

⑬佛教知識小百科	心靈雅集編譯組	150元
⑭佛學名言智慧	松濤弘道著	180元
⑮釋迦名言智慧	松濤弘道著	180元
⑯活人禪	平田精耕著	120元
⑰坐禪入門	柯素娥編譯	120元
⑱現代禪悟	柯素娥編譯	130元
⑲道元禪師語錄	心靈雅集編譯組	130元
⑳佛學經典指南	心靈雅集編譯組	130元
㉑何謂「生」　阿含經	心靈雅集編譯組	150元
㉒一切皆空　般若心經	心靈雅集編譯組	150元
㉓超越迷惘　法句經	心靈雅集編譯組	130元
㉔開拓宇宙觀　華嚴經	心靈雅集編譯組	130元
㉕真實之道　法華經	心靈雅集編譯組	130元
㉖自由自在　涅槃經	心靈雅集編譯組	130元
㉗沈默的教示　維摩經	心靈雅集編譯組	150元
㉘開通心眼　佛語佛戒	心靈雅集編譯組	130元
㉙揭秘寶庫　密教經典	心靈雅集編譯組	130元
㉚坐禪與養生	廖松濤譯	110元
㉛釋尊十戒	柯素娥編譯	120元
㉜佛法與神通	劉欣如編著	120元
㉝悟（正法眼藏的世界）	柯素娥編譯	120元
㉞只管打坐	劉欣如編譯	120元
㉟喬答摩・佛陀傳	劉欣如編著	120元
㊱唐玄奘留學記	劉欣如編譯	120元
㊲佛教的人生觀	劉欣如編譯	110元
㊳無門關（上卷）	心靈雅集編譯組	150元
㊴無門關（下卷）	心靈雅集編譯組	150元
㊵業的思想	劉欣如編著	130元
㊶佛法難學嗎	劉欣如著	140元
㊷佛法實用嗎	劉欣如著	140元
㊸佛法殊勝嗎	劉欣如著	140元
㊹因果報應法則	李常傳編	140元
㊺佛教醫學的奧秘	劉欣如編著	150元
㊻紅塵絕唱	海　若著	130元
㊼佛教生活風情	洪丕謨、姜玉珍著	220元

・經 營 管 理・電腦編號01

◎創新經營管理六十六大計（精）	蔡弘文編	780元
①如何獲取生意情報	蘇燕謀譯	110元
②經濟常識問答	蘇燕謀譯	130元

③股票致富68秘訣	簡文祥譯	100元
④台灣商戰風雲錄	陳中雄著	120元
⑤推銷大王秘錄	原一平著	100元
⑥新創意・賺大錢	王家成譯	90元
⑦工廠管理新手法	琪　輝著	120元
⑧奇蹟推銷術	蘇燕謀譯	100元
⑨經營參謀	柯順隆譯	120元
⑩美國實業24小時	柯順隆譯	80元
⑪撼動人心的推銷法	原一平著	120元
⑫高竿經營法	蔡弘文編	120元
⑬如何掌握顧客	柯順隆譯	150元
⑭一等一賺錢策略	蔡弘文編	120元
⑯成功經營妙方	鐘文訓著	120元
⑰一流的管理	蔡弘文編	150元
⑱外國人看中韓經濟	劉華亭譯	150元
⑲企業不良幹部群相	琪輝編著	120元
⑳突破商場人際學	林振輝編著	90元
㉑無中生有術	琪輝編著	140元
㉒如何使女人打開錢包	林振輝編著	100元
㉓操縱上司術	邑井操著	90元
㉔小公司經營策略	王嘉誠著	100元
㉕成功的會議技巧	鐘文訓編譯	100元
㉖新時代老闆學	黃柏松編著	100元
㉗如何創造商場智囊團	林振輝編譯	150元
㉘十分鐘推銷術	林振輝編譯	120元
㉙五分鐘育才	黃柏松編譯	100元
㉚成功商場戰術	陸明編譯	100元
㉛商場談話技巧	劉華亭編譯	120元
㉜企業帝王學	鐘文訓譯	90元
㉝自我經濟學	廖松濤編譯	100元
㉞一流的經營	陶田生編著	120元
㉟女性職員管理術	王昭國編譯	120元
㊱ＩＢＭ的人事管理	鐘文訓編譯	150元
㊲現代電腦常識	王昭國編譯	150元
㊳電腦管理的危機	鐘文訓編譯	120元
㊴如何發揮廣告效果	王昭國編譯	150元
㊵最新管理技巧	王昭國編譯	150元
㊶一流推銷術	廖松濤編譯	120元
㊷包裝與促銷技巧	王昭國編譯	130元
㊸企業王國指揮塔	松下幸之助著	120元
㊹企業精鋭兵團	松下幸之助著	120元

㊺企業人事管理	松下幸之助著	100元
㊻華僑經商致富術	廖松濤編譯	130元
㊼豐田式銷售技巧	廖松濤編譯	120元
㊽如何掌握銷售技巧	王昭國編著	130元
㊿洞燭機先的經營	鐘文訓編譯	150元
52新世紀的服務業	鐘文訓編譯	100元
53成功的領導者	廖松濤編譯	120元
54女推銷員成功術	李玉瓊編譯	130元
55ＩＢＭ人才培育術	鐘文訓編譯	100元
56企業人自我突破法	黃琪輝編著	150元
58財富開發術	蔡弘文編著	130元
59成功的店舖設計	鐘文訓編著	150元
61企管回春法	蔡弘文編著	130元
62小企業經營指南	鐘文訓編譯	100元
63商場致勝名言	鐘文訓編譯	150元
64迎接商業新時代	廖松濤編譯	100元
66新手股票投資入門	何朝乾　編	180元
67上揚股與下跌股	何朝乾編譯	180元
68股票速成學	何朝乾編譯	180元
69理財與股票投資策略	黃俊豪編著	180元
70黃金投資策略	黃俊豪編著	180元
71厚黑管理學	廖松濤編譯	180元
72股市致勝格言	呂梅莎編譯	180元
73透視西武集團	林谷燁編譯	150元
76巡迴行銷術	陳蒼杰譯	150元
77推銷的魔術	王嘉誠譯	120元
7860秒指導部屬	周蓮芬編譯	150元
79精銳女推銷員特訓	李玉瓊編譯	130元
80企劃、提案、報告圖表的技巧	鄭　汶　譯	180元
81海外不動產投資	許達守編譯	150元
82八百伴的世界策略	李玉瓊譯	150元
83服務業品質管理	吳宜芬譯	180元
84零庫存銷售	黃東謙編譯	150元
85三分鐘推銷管理	劉名揚編譯	150元
86推銷大王奮鬥史	原一平著	150元
87豐田汽車的生產管理	林谷燁編譯	150元

•成功寶庫• 電腦編號02

①上班族交際術	江森滋著	100元
②拍馬屁訣竅	廖玉山編譯	110元

④聽話的藝術	歐陽輝編譯	110元
⑨求職轉業成功術	陳　義編著	110元
⑩上班族禮儀	廖玉山編著	120元
⑪接近心理學	李玉瓊編著	100元
⑫創造自信的新人生	廖松濤編著	120元
⑭上班族如何出人頭地	廖松濤編著	100元
⑮神奇瞬間瞑想法	廖松濤編譯	100元
⑯人生成功之鑰	楊意苓編著	150元
⑱潛在心理術	多湖輝　著	100元
⑲給企業人的諍言	鐘文訓編著	120元
⑳企業家自律訓練法	陳　義編譯	100元
㉑上班族妖怪學	廖松濤編著	100元
㉒猶太人縱橫世界的奇蹟	孟佑政編著	110元
㉓訪問推銷術	黃静香編著	130元
㉕你是上班族中強者	嚴思圖編著	100元
㉖向失敗挑戰	黃静香編著	100元
㉙機智應對術	李玉瓊編著	130元
㉚成功頓悟100則	蕭京凌編譯	130元
㉛掌握好運100則	蕭京凌編譯	110元
㉜知性幽默	李玉瓊編譯	130元
㉝熟記對方絕招	黃静香編譯	100元
㉞男性成功秘訣	陳蒼杰編譯	130元
㊱業務員成功秘方	李玉瓊編著	120元
㊲察言觀色的技巧	劉華亭編著	130元
㊳一流領導力	施義彥編譯	120元
㊴一流說服力	李玉瓊編著	130元
㊵30秒鐘推銷術	廖松濤編譯	120元
㊶猶太成功商法	周蓮芬編譯	120元
㊷尖端時代行銷策略	陳蒼杰編著	100元
㊸顧客管理學	廖松濤編著	100元
㊹如何使對方說Yes	程　羲編著	150元
㊺如何提高工作效率	劉華亭編著	150元
㊼上班族口才學	楊鴻儒譯	120元
㊽上班族新鮮人須知	程　羲編著	120元
㊾如何左右逢源	程　羲編著	130元
㊿語言的心理戰	多湖輝著	130元
51扣人心弦演說術	劉名揚編著	120元
53如何增進記憶力、集中力	廖松濤譯	130元
55性惡企業管理學	陳蒼杰譯	130元
56自我啟發200招	楊鴻儒編著	150元
57做個傑出女職員	劉名揚編著	130元

國立中央圖書館出版品預行編目資料

神祕奇妙的世界 / 平川陽一著；馬小莉譯，
——初版，——臺北市：大展，民83
面；　公分，——（超現實心靈講座；6）
譯自：世界の謎と不思議
ISBN 957-557-466-4（平裝）
1. 雜錄
046　　83008102

神祕奇妙的世界

ISBN 957-557-466-4

原著者／平川陽一
編譯者／馬小莉
發行人／蔡森明
出版者／大展出版社有限公司
社址／台北市北投區（石牌）致遠一路2段12巷1號
電話／（02）8236031・8236033
傳真／（02）8272069
郵政劃撥／0166955-1
登記證／局版臺業字第2171號

法律顧問／劉鈞男律師
承印者／國順圖書印刷公司
裝訂／嶸興裝訂有限公司
排版者／宏益電腦排版有限公司
電話／（02）5611592
初版／1994年（民83年）9月

定價／200元

大展好書 好書大展